ACTES SUD JUNIOR
est dirigé par Madeleine Thoby

D1586084

LA RANÇON
DU RENARD

Titre original :
Treasure Hunt
© Ben M. Baglio, 1995
Éditeur original :
Hodder Children's Books, 1995

© Actes Sud, 1998
pour la présente édition
et la traduction française
ISBN 2-7427-1963-6

Jamais deux sans trois

FIONA KELLY

LA RANÇON
DU RENARD

Traduit et adapté de l'anglais par
SYLVIA GEHLERT

Illustrations de
JEAN CLAVERIE

ACTES SUD JUNIOR

LA RUBRIQUE DE LA PAGE 15

– Au secours ! cria Miranda en s'abritant derrière un fauteuil.

Le projectile passa à quelques millimètres de sa tête, heurta le pied du lampadaire et s'affaissa mollement sur la moquette. Miranda le saisit et le renvoya à Jenny qui reçut le gros coussin en pleine figure.

– Ça t'apprendra à te moquer de mes blagues. Écoute la dernière que j'ai trouvée : Un éléphant qui se promène passe sur une fourmilière et l'écrase. Les fourmis, furieuses, tiennent un conseil de guerre : « La prochaine fois qu'il passe, on lui saute dessus et on le tue. » L'éléphant repasse, elles lui sautent toutes dessus et commencent à le mordre. Agacé, l'éléphant s'ébroue et les fourmis se retrouvent toutes par terre, sauf une qui réussit à s'accrocher à son cou. D'en bas, les autres lui crient : « Étrangle-le ! Étrangle-le ! »

Il y eut un silence.

– Alors ? s'impatienta Miranda, comment tu la trouves ?

Jenny gloussa :

– Bien meilleure que les autres.

– Ouf ! Ça m'en fait dix en tout pour le prochain numéro du *Tom-Tom*. Je sens que mes lecteurs vont se régaler. Et toi, tu en es où de ta rubrique ?

– Je sèche complètement. Je n'ai trouvé ni livre ni film policier que j'aurais envie de recommander à nos lecteurs.

– Et une série télé ?

– Les nouvelles séries ne commencent qu'en septembre. C'est trop tard si on veut que le journal sorte le jour de la rentrée. Il faudrait trouver autre chose. Une énigme policière qui n'a jamais été résolue, un cas comme celui de Jack l'Éventreur, par exemple.

– Le tueur qui se promenait la nuit dans les rues de Londres ?

– Oui, mais c'est une histoire vieille de cent ans que tout le monde connaît. L'idéal, ce serait de retrouver un cas plus récent et moins connu qu'on ferait découvrir à nos lecteurs.

– Et qu'on résoudrait par la même occasion.

– Pourquoi pas ?

Miranda éclata de rire.

– Arrête de rêver, Jenny ! On est en vacances, et on ferait mieux d'aller à la piscine au lieu de tourner en rond. Les idées, ça vient en bougeant.

Jenny regarda sa montre.

– Quatre heures moins dix. J'avais bien dit à Peter qu'on se retrouverait chez moi à trois heures pour une réunion de rédaction !

– Il est peut-être allé faire un reportage photo à la piscine. Je sais que Kathy organise un concours de natation avec les bouées canards de quand on était petits, et il y a toute une bande du collège qui s'est inscrite.

Peter, Jenny et Miranda préparaient le numéro de rentrée du *Tom-Tom*, le journal qui s'adressait aux élèves de leur collège.

Peter s'occupait des reportages sur la vie des élèves, Miranda de la rubrique « Bonnes Blagues » et Jenny rédigeait les critiques de livres et de films à suspense.

Chaque numéro du *Tom-Tom* offrait en plus un dossier sur un sujet d'intérêt commun qu'ils réalisaient ensemble. Au sommaire du prochain numéro, ils avaient prévu un dossier sur les activités et les loisirs des élèves qui n'étaient pas partis en vacances. L'idée leur en était venue par hasard. Quelques semaines avant la fin de l'année scolaire, les trois journalistes avaient fait un sondage auprès de leurs camarades du collège en leur demandant où ils allaient passer leurs vacances d'été. C'est ainsi qu'ils avaient appris que beaucoup d'entre eux n'avaient pas la chance de pouvoir partir.

À part une ou deux semaines chez les grands-parents, dirent les uns.

À part quelques week-ends au bord de la mer, dirent les autres.

Les trois rédacteurs du *Tom-Tom* avaient alors décidé de suivre leurs camarades au quotidien pour relater dans leur dossier tout ce qu'on pouvait faire pendant les vacances à Highgate.

Ils avaient déjà fait un reportage photo sur les participants de l'atelier de peinture, qui avaient obtenu l'autorisation du proviseur de repeindre l'horrible mur en béton gris du gymnase pour le transformer en une forêt vierge luxuriante haute en couleur. Ils avaient aussi couvert le « Rallye de l'aurore », une course de skateboard à travers les rues du centre-ville un dimanche à cinq heures du matin, et ils avaient interviewé six élèves de quatrième qui avaient mis en place un service appelé « SOS Poisson rouge » qui avait rencontré un énorme succès auprès des habitants de Highgate. Il permettait aux gens qui n'avaient personne pour nourrir leurs poissons, hamsters, tortues et oiseaux de partir en vacances en toute tranquillité. Contre une somme modique, les associés de « SOS Poisson rouge » s'en occupaient pendant leur absence.

Le Tom-Tom de la rentrée était presque terminé. Le dossier était en bonne voie. Miranda avait le compte de ses blagues et Peter venait de rédiger les résultats de son sondage « Dix heures, dernier délai », qui portait sur les permissions de sorties pendant les vacances et l'heure obligatoire du retour à la maison. Il ne manquait plus que la rubrique de Jenny. En secret, elle s'en voulait car d'habitude c'était elle qui finissait toujours la première.

– Ce qu'il te faut c'est un bon milk-shake, ça te donnera des forces, proposa Miranda. Et si tu insistes, je veux bien en prendre un moi aussi.

Pendant que Jenny mixait le lait et la glace à la vanille, Miranda inspecta le placard de la cuisine où elle trouva un paquet de gâteaux au chocolat. Jenny la prévint :

– Ce sont les préférés d'Arthur. Il ne vaut mieux pas y toucher. Depuis que je lui ai défendu de se servir de mon dentifrice à la banane, nos relations sont plutôt tendues.

– Il ne s'agit pas de voler ton petit frère ! Je propose qu'on mange tout le paquet et qu'on lui en rachète un tout à l'heure.

La sonnette retentit, et Miranda courut ouvrir.

– Et un autre milk-shake chocolat pour le livreur de journaux ! cria-t-elle.

– Quel livreur de journaux ?

Les Adams étaient abonnés au journal du matin, pas à celui du soir. Jenny sortit dans le couloir et tomba nez à nez avec Peter. Il portait une casquette avec le nom du journal du soir et portait en bandoulière une grosse sacoche remplie de journaux.

11

– Désolé, les filles, mais je passe seulement en coup de vent. Harry m'a demandé à la dernière minute si je ne pouvais pas remplacer un de ses livreurs, qui est hospitalisé pour une appendicite. J'ai dit oui tout de suite !

Harry tenait la librairie-confiserie située sur le chemin du collège, réputée pour le choix inouï de ses bonbons, sucettes, chewing-gums et barres chocolatées. Chez Harry, on trouvait également des bandes dessinées et des livres de poche qu'il vous laissait feuilleter tranquillement, ainsi que des revues d'automobile et des magazines d'informatique qui faisaient les délices de Peter. C'est en discutant voitures et logiciels que le libraire, un géant au sourire débonnaire qui n'avait plus un seul cheveu sur la tête, et Peter, douze ans passés de trois mois, étaient devenus de grands amis.

– J'ai dit oui, reprit Peter, parce que ça me permettra de gagner l'argent pour acheter ce que j'ai vu l'autre jour. Vous allez voir, ça vous plaira, et ce sera très utile pour notre travail de détectives.

Les deux filles se regardèrent, excédées. Ça faisait un mois que Peter les narguait avec son secret. Au début, il avait piqué leur curiosité, et elles avaient tenté par tous les moyens de lui tirer les vers du nez. Il avait tenu bon, trop content de les voir languir. Mais rapidement, elles s'étaient lassées de ce petit jeu. Cela n'empêchait pas Peter de s'obstiner à leur parler de cette chose extraordinaire à laquelle il destinait toutes ses économies. Hélas, à son grand déplaisir, dès qu'il l'évoquait, les deux filles faisaient la sourde oreille et changeaient de sujet de conversation.

– Ce milk-shake est vraiment délicieux, sussura Miranda. Dommage que tu n'aies pas le temps d'y goûter.

– Mais…, fit Peter.

– Oui, c'est vraiment dommage, dit Jenny en lui prenant le journal qu'il tenait à la main. Allez, en route, les clients attendent. Et faisnous signe quand tu pourras enfin nous accorder un peu de ton précieux temps.

Elle s'installa sur le canapé et commença à feuilleter le journal.

– Permets-moi de te raccompagner, dit Miranda en poussant Peter vers l'entrée.

Il sentait la moutarde lui monter au nez. Elles s'étaient liguées contre lui, c'était clair. Elles ne voulaient pas le voir. Très bien ! Il allait leur laisser le temps de se calmer. Et même un peu plus.

Il se planta devant Jenny.

– Tu veux bien me rendre le journal, s'il te plaît ? Il est pour vos voisins du 74.

– Ne t'en fais pas, rétorqua-t-elle sans même lever le nez, j'irai le porter à Mme Rutherford quand Miranda et moi aurons fini notre travail.

– Parce qu'au cas où tu l'aurais oublié, renchérit Miranda, nous sommes en train de mettre sur pied le prochain numéro du *Tom-Tom*.

– Je… je sais bien, bredouilla Peter, je promets de vous aider le week-end prochain.

– Non, se fâcha Jenny, c'est aujourd'hui qu'on avait besoin de toi pour pouvoir avancer. Ça fait deux heures qu'on t'attend !

– Deux heures, enchaîna Miranda, qu'on aurait pu passer à bronzer à la piscine. Pour une fois qu'il ne pleut pas !

– Ce n'est pas bien de nous laisser tomber comme ça.

– Tu aurais pu au moins nous téléphoner !

Peter baissa le nez. C'est vrai, il aurait dû les avertir, mais il n'avait pas vu le temps passer.

– D'accord, vous avez raison, dit-il d'un air contrit. Est-ce que j'ai un moyen de me racheter ?

– Tu te souviens de mon idée de faire une série d'articles sur des énigmes qui n'ont jamais été élucidées ? demanda Jenny.

– Oui. J'aurais aimé l'avoir eue moi-même.

– Merci, dit Jenny qui ne s'attendait pas à ce compliment. Le problème c'est que je ne sais pas comment m'y prendre pour en dénicher une. Alors, si tu pouvais m'aider…

Peter réfléchit un instant, puis il pointa le journal.

– Tu peux toujours jeter un coup d'œil sur la rubrique page 15.

– Quelle rubrique ? demanda Jenny en tournant les pages.

– Celle où figurent les événements qui se sont produits à la même date dans le passé, il y a cinquante, quarante, trente ans, etc.

– J'ai trouvé ! s'écria Jenny, et c'est pas mal du tout. Écoutez !

Entourée de Peter et de Miranda, elle lut à voix haute :

« Il y a dix ans jour pour jour que Ronald Foxtrott, dit le Renard, un des plus terribles maîtres chanteurs qui aient sévi dans notre pays… »

– Ronald le Renard ! s'esclaffa Miranda, ça fait assez ringard.

– « … qui aient sévi dans notre pays, réussit à s'emparer d'une rançon de cinquante mille livres déposée dans une cabine téléphonique à proximité de la gare de Highgate. »

– Cinquante mille livres, murmura Peter. Vous savez combien ça fait en euros ?

– Non, mais on meurt d'envie que tu nous le dises.

– Ça fait près de 325 000 euros ! Vous vous rendez compte ?

– Attends ! dit Jenny, je n'ai pas fini. « Ronald le Renard fut arrêté vingt-cinq minutes plus tard par l'inspecteur de police Alan Jenkins, qui, de repos ce jour-là, faisait ses courses en compagnie de sa femme, et avait par hasard repéré Foxtrott dans la rue. »

– Il n'a pas pu faire grand-chose en vingt-cinq minutes, dit Miranda.

– Attends, il reste encore une phrase. « Au moment de son arrestation, le Renard n'avait plus la mallette contenant la rançon. À ce jour, l'argent reste toujours introuvable. » Peter reprit sa sacoche.

– La voilà, ton énigme. Je peux y aller maintenant ?

Jenny lui fit un grand sourire.

– Naturellement, mais n'oublie pas notre devise : « Jamais deux sans trois. »

UNE DRÔLE DE COÏNCIDENCE

– Les bottines bordeaux avec la boucle sur le côté, est-ce que vous les avez aussi en noir, sans la boucle et avec une fermeture Éclair à la place des lacets ? demanda Miranda.

Autour d'elle s'étalait une dizaine de cartons de bottes et de bottines, de chaussures vernies et de mocassins en daim, de sandales, de sabots et de chaussures de tennis.

Jenny retint son souffle. Le jeune homme qui était à genoux devant Miranda pour l'aider à enfiler une énième paire de chaussures allait sûrement exploser d'un instant à l'autre. Or elle se trompait. Le vendeur leva la tête et regarda Miranda très attentivement de ses grands yeux noirs. Un sourire amusé se dessinait sur ses lèvres.

– Non, dit-il, et je n'ai pas non plus de tennis

vernies vert pomme avec des talons aiguilles ni de sandales en peau de mouton ou de mocassins avec des clochettes. Je te laisse réfléchir encore un moment ?

Il se dirigea vers le fond du magasin et composa un numéro de téléphone.

– Qu'est-ce qu'il est mignon, soupira Miranda. Tu as vu comment il m'a regardée ? Comment un si charmant garçon peut-il être amoureux de ma sœur Betty ?

– Mais comment sais-tu que c'est son amoureux ?

– J'ai écouté une conversation entre les jumelles hier soir. Elles étaient toutes les deux dans la salle de bains en train d'essayer des maquillages, et elles ne m'ont pas vue. Betty a dit à Rebecca qu'elle avait rencontré Haroun à la piscine, qu'il avait dix-sept ans, qu'il travaillait pendant les vacances dans le magasin de chaussures de son oncle et qu'il était beau comme un dieu. Alors, j'ai voulu voir si c'était vrai.

– Et les chaussures ?

– Elles sont tartes et beaucoup trop chères.

– Tu ne vas rien acheter du tout ?

– Bien sûr que si : une paire de lacets orange fluo pour aller avec mon sweat-shirt. J'espère qu'ils en ont.

– Il nous en reste une paire.

Le vendeur lui tendit les lacets.

– Je te les offre, chère Miranda.

Miranda sursauta.

– Qui vous a dit mon nom ?

– Une personne que je connais et qui m'a fait rire en parlant de sa peste de petite sœur. Elle t'a tellement bien décrite que je t'ai reconnue tout de suite. Pour être sûr, je l'ai appelée. Quelle honte ! Miranda avait les joues en feu.

– Vous avez raconté à Betty que j'ai essayé douze paires de chaussures ?

– Je me suis limité à cinq. Ça me paraissait suffisant.

Il leur ouvrit la porte.

– Bonne journée, mesdemoiselles !

Elles marchèrent en silence. Tout à coup, le visage de Miranda s'éclaira. Elle s'arrêta devant la boutique d'un traiteur chinois.

– Beignets de crevettes… Rouleaux de printemps… Nouilles sautées… Gâteaux au sésame. Je peux t'offrir quelque chose ?

– Non merci, dit Jenny qui commençait à perdre patience. Je voudrais être à la bibliothèque avant la fermeture.

Miranda hésitait.

– Ne crois pas que j'aie changé d'avis, mais je ne nous vois pas faire une enquête pour résoudre une énigme vieille de dix ans.

– Il ne s'agit pas de la résoudre, mais de la raconter de A à Z à nos lecteurs. Et d'après Peter, la bibliothèque municipale est le meilleur endroit pour trouver des informations sur l'affaire de la rançon disparue.

– Quel genre d'informations ?

Jenny haussa les épaules.

– Je ne sais pas encore. Tout ce qui est

susceptible de rendre l'histoire intéressante.
Des détails sur cette fameuse histoire d'il y a
dix ans. L'heure à laquelle la rançon a été déposée, par exemple, ou le trajet du Renard.
– Quel trajet ?
– Le chemin qu'il a parcouru à partir de la
cabine téléphonique jusqu'au moment où
le policier l'a arrêté, vingt-cinq minutes plus
tard. Quelque part au cours de ce trajet, il a
réussi à se débarrasser d'une mallette contenant cinquante mille livres. Où a-t-il bien
pu la cacher ?
Miranda la retint par le bras.
– Attends ! Tu n'imagines tout de même
pas que Peter, toi et moi nous allons nous
lancer à la recherche du trésor disparu de
Ronald le Renard !
– Mais non. Si la police n'a pas réussi à le
retrouver, comment voudrais-tu que nous
y arrivions ?
Elles empruntèrent le grand escalier en
pierre qui menait à l'entrée principale de la
bibliothèque municipale. Jenny poussa la
porte à tambour et avança. Lorsqu'elle se
retrouva dans le hall, elle se retourna. Comme elle l'avait prévu, Miranda n'avait pas
pu résister à la tentation de faire un tour
supplémentaire.
Un panneau indiquait :

> *Médiathèque : sous-sol.*
> *Bibliothèque de prêt : rez-de-chaussée.*
> *Ouvrages de référence, salle de lecture :*
> *premier étage.*

– Tu es sûre qu'ils gardent les vieux journaux ? demanda Miranda.

– Oui, Peter les a appelés pour le leur demander. Il faut s'adresser à la bibliothécaire au premier étage. Allez, on monte.

Sur une porte en chêne à double battant figurait une plaque en bronze dorée : Salle de lecture. Prière de respecter le silence.

Elles entrèrent. Le long des murs de la grande salle, des milliers de volumes étaient rangés dans des étagères qui portaient de petits écriteaux. Au milieu de la salle, des tables s'alignaient. Quelques-unes étaient occupées par des étudiants venus se documenter pour préparer des exposés, d'autres par des lecteurs d'âges divers qui feuilletaient des encyclopédies et des ouvrages spécialisés.

Personne ne parlait. On entendait seulement le chuintement léger des pages tournées. Soudain, quelqu'un éternua, attirant aussitôt sur lui les regards désapprobateurs des autres. Jenny se demandait avec appréhension combien de temps Miranda allait pouvoir rester au milieu de ce silence sans se faire remarquer. La réponse ne se fit pas attendre.

– À qui est-ce qu'on s'adresse pour avoir des renseignements ? résonna la voix de son amie.

– Chut ! lui fit un monsieur en indiquant un grand bureau chargé de livres et de revues qui se trouvait au fond de la salle et derrière lequel se tenait une femme blonde vêtue d'un tailleur gris pluie.

Jenny prit son courage à deux mains et se dirigea vers elle. Sur le badge accroché au revers de la jeune femme, elle lut : Vanessa Whittle, bibliothécaire.

– Je peux vous aider ?

La voix était aimable, et Jenny reprit confiance.

– Nous avons besoin d'informations concernant… euh…

Ne sachant comment terminer sa phrase, elle lança un regard suppliant à Miranda.

– Concernant un événement dont on a parlé dans le journal.

La documentaliste leur fit un sourire encourageant.

– Si je comprends bien, vous désirez consulter un journal. Mais lequel ?

– *Le Courrier de Highgate.*

D'un geste de la main, Vanessa Whittle désigna une rangée d'étagères qui se trouvait derrière elle.

– Tous les journaux du jour sont exposés sur ses rayons. Les journaux nationaux à gauche, les régionaux à droite.

– Merci, mais ce n'est pas le journal d'aujourd'hui qui nous intéresse.

– Vous y trouverez également les journaux d'hier. Nous ne les envoyons aux archives qu'au bout de deux jours.

– Est-ce que vous gardez tous les journaux, même les très vieux ?

– Bien entendu, c'est une de nos fonctions. Mais qu'entends-tu par « très vieux » ?

Jenny prit une respiration profonde.

– Nous recherchons un numéro du *Courrier de Highgate* d'il y a dix ans. C'est pour préparer un projet de recherche pour notre collège.

Elle s'arrêta en se demandant si elle ne venait pas de dire un mensonge. Non, se rassura-t-elle, leurs recherches étaient destinées au *Tom-Tom* qui était le journal du collège.

Le visage de Vanessa Whittle s'animait.

– Je me réjouis de voir deux jeunes filles comme vous s'intéresser au passé. Moi-même, j'ai fait des études d'histoire, et je peux vous dire que c'est passionnant. Mais pour en revenir au journal que vous recherchez, il faut que je vous explique…

Elle fit une pause.

– Vous ne l'avez plus ? dit Miranda.

– Si, mais il est archivé, c'est-à-dire qu'il est stocké dans un autre endroit. Vous comprenez bien que les journaux prennent beaucoup de place et que nous ne pouvons pas les garder tous ici, tout comme les vieux livres. Je vous demanderai donc de remplir une fiche avec le nom du journal et la date exacte de sa parution. Ainsi vous pourrez le consulter dès lundi.

– Seulement lundi ? dit Jenny.

La déception se lisait sur son visage.

– Je suis désolée, mais il faut du temps pour aller le chercher aux archives, et nous sommes

submergés de travail. Voyez vous-mêmes.
Elle désigna les papiers qui s'entassaient sur
son bureau.

– Pourriez-vous nous aider à remplir la fiche ?
demanda Miranda.

– Naturellement. Vous permettez que je le
fasse à votre place ? Ça ira plus vite. Dites-moi
exactement quel numéro du *Courrier de
Highgate* vous désirez consulter.

Jenny réfléchit à toute vitesse. S'il fallait remplir une fiche à chaque fois qu'on voulait
voir un journal archivé, il ne fallait surtout
pas se tromper de date.

– Est-ce qu'on a le droit de demander plusieurs numéros ?

– Comme la plupart de nos quotidiens, *Le
Courrier de Highgate* est archivé par semaine.
Vous pourrez donc consulter les six numéros d'une même semaine à la fois. Du lundi
au samedi. Allez-y, je vous écoute.

La bibliothécaire attendait, son stylo bille à
la main.

Jenny fouillait dans toutes ses poches, mais
son carnet de notes sur lequel elle avait reco-
pié l'entrefilet de la page 15 n'y était pas.
C'est Miranda qui le retrouva au fond du sac
à provisions, entre un paquet de chips et
un flacon de shampoing.

L'arrestation de Ronald le Renard avait eu
lieu un mercredi 26 août.

– Nous voudrions consulter les numéros du
Courrier de Highgate de la semaine du 24 au
29 août il y a dix ans.

– Du 24 au 29 août ?

– Oui, s'il vous plaît.

– Alors, j'ai une surprise pour vous.

La bibliothécaire se baissa et chercha dans un grand bac rempli de journaux.

– Voici tous les numéros de la semaine que vous avez demandée.

Elle tendit un petit paquet de journaux à Jenny avant de réajuster son chignon.

– Quelle drôle de coïncidence, n'est-ce pas ? Vous ne semblez pas être les seules à vous intéresser à cette période. On m'a déjà demandé ces numéros tout à l'heure. Installez-vous à la table n° 2 et laissez-moi votre sac. La prochaine fois, vous le déposerez au vestiaire avant de venir ici. Et, s'il vous plaît, pensez à respecter le silence.

La table n° 2 se trouvait à proximité du bureau de Vanessa Whittle.

– Elle a fait exprès de nous placer ici, chuchota Miranda. C'est pour mieux nous surveiller.

Elle sortit un paquet de chewing-gums, mais le regard sévère de la bibliothécaire lui signifia clairement qu'elle avait tout intérêt à le remettre au fond de sa poche.

– Fais voir les journaux, soupira-t-elle, plus vite on trouvera ce qu'on cherche et plus vite on pourra sortir de cet endroit sinistre.

Jenny ne bougea pas. Les coudes posés sur la table, le front plissé et ses grands yeux gris regardant dans le vide, elle semblait en proie à une réflexion intense.

– Qu'est-ce que tu as ? Tu n'es pas contente qu'on ait trouvé les journaux aussi rapidement ?

– Non, chuchota Jenny, je trouve ça plutôt suspect.

– Comment ça ?

– Réfléchis ! Qui, à part nous deux, sait ce que nous recherchons ?

– Personne. À l'exception de Peter.

– Exactement.

– Tu ne crois quand même pas que c'est lui qui a demandé à les voir avant nous ?

– Qui d'autre ?

– Mais pour quelle raison ?

– Je ne sais pas. Pour se venger peut-être.

– Parce qu'on ne s'intéresse pas à son grand secret ?

– Possible.

– Ce serait quand même trop bête, dit Miranda, mais après tout, avec les garçons, on ne sait jamais.

Elles décidèrent de ne pas se laisser décourager pour autant. À deux, elles doublaient leurs chances de découvrir sur les pages des vieux exemplaires du *Courrier de Highgate* des choses que Peter n'avait peut-être pas vues.

Jenny prit le journal du lundi 24 août et le mit de côté. Elle en fit de même de celui du mardi.

– Mercredi 26 août, lut Miranda sous le titre du numéro suivant. C'était bien ce jour-là ?

– Chut, pas si fort, Vanessa Whittle t'a à l'œil.

– C'est toi qu'elle regarde, tu parles trop fort pour une bibliothèque !

Miranda baissa les yeux pour ne pas croiser le regard de la bibliothécaire.

– Je ne vois rien sur la première page, chuchota-t-elle.

Elles eurent beau chercher sur les autres pages, il n'y avait pas un mot sur l'affaire dans tout le journal. Cela signifiait qu'à l'heure où la police avait arrêté le maître chanteur, *Le Courrier de Highgate* était déjà sous presse, voire sorti de l'imprimerie. L'arrestation avait donc dû faire la une du lendemain.

– Vendredi 28 août, lut Jenny en prenant le journal suivant. Non, ce n'est pas le bon.

– Celui-ci non plus, dit Miranda en soulevant le dernier journal de la pile qui était daté du samedi 29 août.

Où donc était passé *Le Courrier de Highgate* du jeudi 27 août ?

3

ARRACHÉE !

Un à un, Jenny reposa les journaux sur la table. Samedi, vendredi, mercredi, mardi, lundi. Pas de jeudi !
– Il ne l'aurait tout de même pas volé, murmura-t-elle.
– Peter ? Ah non, il ne ferait jamais ça.
– Je sais bien, mais… Attends !
Jenny ressortit le journal du vendredi de la pile. Il était plus gros que les autres. Elle l'ouvrit au milieu et tomba sur le numéro manquant, celui du jeudi. Un seul coup d'œil lui suffit pour voir qu'il n'y avait pas été glissé par mégarde mais qu'on l'avait dissimulé volontairement. De la première page, il ne restait que la partie supérieure, le reste avait été arraché.

– C'est du propre, murmura-t-elle. Joli travail, Peter !

– Tu crois que c'est lui ?

– Qui d'autre ? Réfléchis ! Il a dû venir ici en début d'après-midi. La bibliothécaire lui a remis les cinq journaux bien dans l'ordre. Il a trouvé ce qui l'intéressait, il a arraché le bout de la page, et il a glissé le journal abîmé dans celui du vendredi, avant de lui rapporter le tout. Et comme elle a beaucoup de travail, elle n'a pas pris le temps de vérifier.

– Comme il a dû prendre son air de garçon bien élevé, elle lui a forcément fait confiance.

– Comme à nous, dit Jenny en colère. Mais en ce qui me concerne, c'est bien fini. S'il a arraché la page, c'est qu'elle contenait des informations importantes qu'il voulait avoir à lui tout seul...

– Pour nous prouver que c'est lui le plus malin...

– Et parce qu'il était jaloux de mon idée. Il l'a dit lui-même. Et pour cela, il n'a pas hésité à abîmer quelque chose qui ne lui appartenait pas. Tu sais comment ça s'appelle ? C'est du vandalisme !

– Calme-toi, chuchota Miranda, sinon Vanessa la Vampire va s'abattre sur toi.

À l'idée de se faire mordre par l'honorable bibliothécaire, Jenny ne put s'empêcher de glousser. Si Vanessa Whittle savait ce qu'elles venaient de découvrir, elle suffoquerait dans son chemisier à jabot de dentelle.

– Le morceau a été arraché à toute vitesse, déclara Jenny, et par un droitier.

Au ton de sa voix, Miranda comprit qu'elle s'était glissée dans sa peau de détective. Tant mieux, ça ferait retomber sa colère, et ça l'empêcherait peut-être de s'acharner sur Peter.

– Ah bon, fit-elle innocemment, à quoi est-ce que tu vois ça ?

– C'est simple. Il a été arraché dans un mouvement allant de droite à gauche. Cela ne peut se faire que si l'on appuie de la main gauche sur le journal et qu'on déchire la page de la main droite.

– À moins que la personne n'ait retourné le journal avant de déchirer la page, objecta Miranda qui éprouva tout à coup un malin plaisir à troubler les certitudes de Jenny.

– Je n'avais pas pensé à ça.

– L'embêtant, c'est qu'il manque l'essentiel de la page.

Il n'en restait effectivement pas grand-chose : le fragment d'un article ainsi qu'une photo qui montrait le visage d'un homme mais à laquelle manquait la légende.

De la poche de sa veste, Jenny tira la loupe qu'elle avait prise à son petit frère, en dédommagement de son canard en plastique préféré qu'Arthur avait fait cuire sournoisement dans la cocotte-minute.

– Tu crois que c'est Ronald le Renard ? demanda Miranda.

– Sans aucun doute. Il a une vraie tête de gangster.

L'homme avait le front légèrement dégarni. Sur sa tempe gauche, on voyait une blessure qui avait été recousue avec plusieurs points de suture.

– Il a dû se battre avec les policiers lorsqu'ils l'ont arrêté, dit Miranda.

– Oui, et tu as vu ses sourcils ?

– Qu'est-ce qu'ils ont de spécial ?

– Ils se touchent.

– Et alors ?

– Il y a beaucoup de criminels qui ont les sourcils qui se touchent.

– Qui t'a dit ça ?

– Je ne sais plus, mais c'est ce qu'on dit.

Miranda commençait à se sentir mal à l'aise. Bien sûr, l'homme sur la photo avait une mine peu engageante. Certes, il avait des sourcils broussailleux qui se touchaient à la naissance du nez. Mais qu'est-ce que ça prouvait ? Son père avait des sourcils au moins aussi abondants, et il n'était ni maître chanteur ni braqueur de banque. Il était diététicien, employé par la mairie de Highgate pour surveiller la qualité des menus servis dans les cantines scolaires de la commune. C'était le plus gentil des papas, et il n'avait rien d'un gangster. Comment Jenny pouvait-elle croire des sottises aussi énormes ? Miranda décida de se payer sa tête.

– Et tu as vu ses yeux ? dit-elle. Ce sont des yeux de maître chanteur ou je ne m'y connais pas.

Intriguée, Jenny se retourna vers elle.

– Ça ressemble à quoi, les yeux d'un maître chanteur ?
– À ceux de l'homme sur la photo, pardi !
Il y eut un silence.
– Tu as raison, dit enfin Jenny. C'est idiot, ce que j'ai dit. Je me suis laissé emporter.
– Alors viens, on s'en va. Il n'y a rien à tirer de ce bout de page.
– Juste un instant ! Je voudrais comprendre ce que ça veut dire.
Jenny mit le doigt sur ce qui restait de l'article :

Arrestation du « Renard » au co
C'est grâce à l'intervention d'un inspect
Ronald Foxtrott, recherché pou
a pu être arrêté hier aprè
uyait par Pollard L
réuss
a

– C'est évident, dit Miranda. Le Renard a été arrêté au commissariat. De son vrai nom, il s'appelle Ronald Foxtrott. Il était recherché de la police, et il a été arrêté par un inspecteur du nom de Pollard.
– Chut ! fit la bibliothécaire.
Miranda se dépêcha de remettre le journal abîmé entre les pages du numéro du vendredi qu'elle glissa entre celui du mercredi et celui du samedi. Elle passa la pile à Jenny.
– Je préfère que ce soit toi qui les lui rendes. Je crois qu'elle a une dent contre moi.
Les mains moites et le cœur battant, Jenny

posa les journaux sur le bureau de la bibliothécaire.

– Avez-vous trouvé ce que vous cherchiez ?
demanda celle-ci.

Pourvu qu'elle ne se mette pas à les compter, pensa Jenny.

– Oui, oui, balbutia-t-elle, tout va très bien.
Merci beaucoup !

– Tant mieux, dit Vanessa Whittle en lis-
sant les journaux.

« Pourvu qu'elle ne s'aperçoive pas qu'il
y en a un qui est plus gros que les autres ! »
pensa Miranda.

– Excusez-boi si j'ai parlé trop fort, dit-elle
en parlant par le nez, mais je suis très
enrhubée.

Jenny reprit son sac de commissions, et les
deux filles filèrent vers la sortie. Elles étaient
sur le point de franchir la porte de la salle
de lecture lorsqu'une main se posa sur
l'épaule de Miranda. Elle se retourna. Vanessa
Whittle lui tendit une petite boîte de pastilles vertes.

– Sers-toi, dit-elle, elles sont à l'eucalyptus
et très efficaces.

Les doigts tremblants, Miranda puisa dans
la boîte.

– Berci badame, fit-elle en reniflant.

La bibliothécaire referma la boîte et la ran-
gea dans la poche de son tailleur.

– Au revoir, les filles, et à bientôt, j'espère.

4

VICTOR

Le lendemain matin à sept heures, M. Hunt entreprit de réveiller ses trois filles. Ce ne fut pas une mince affaire. Il frappa d'abord à la porte de la chambre des jumelles.

– Betty, Rebecca, debout ! C'est l'heure.

Deux voix endormies lui répondirent mollement.

Il continua son chemin et frappa à la porte à côté.

– Debout, ma petite chérie, ton chocolat chaud t'attend.

Miranda ouvrit un œil et le referma aussitôt. Se lever à sept heures quand on était en vacances, c'était vraiment trop dur. D'autant plus que cela ne la concernait pas du tout. Ce n'était pas elle qui avait une correspondante française, mais sa sœur Rebecca.

Et ce n'était pas elle non plus qui avait eu l'idée d'inviter les parents de la correspondante à venir passer un week-end en Angleterre avec leur fille, cette fameuse Clémentine dont Rebecca ne cessait de parler depuis qu'elle était revenue de son séjour en France. Elles s'écrivaient au moins trois fois par semaine. Mais ça, c'était récent. Cela datait du jour où M. Hunt avait reçu la dernière note de téléphone où figuraient, noir sur blanc, les nombreux appels que Rebecca avait passés à Clémentine. Le montant de la note avait valu un sérieux avertissement à Rebecca, assorti d'une menace de retenue sur son argent de poche en cas de récidive.

– Miranda, tu m'entends ?

– Encore cinq minutes, papa !

Miranda se lova dans sa couette, prête à se rendormir, quand tout à coup, elle se souvint. Ce soir, elle devrait laisser sa chambre au frère de Clémentine. Elle sauta du lit et regarda autour d'elle. Lesquelles de ses affaires fallait-il mettre à l'abri de ce Victor qu'elle ne connaissait même pas ? Certainement le plus possible. Elle ouvrit les portes de son armoire et commença à y entasser à toute vitesse tous les objets auxquels elle tenait : son tambour africain et sa collection de coquillages, ses cassettes, ses CD et sa tortue en peluche, ses dessins, ses rollers et l'album de photos…

Quand elle referma l'armoire à clé, il ne restait plus grand-chose dans la chambre, à part les meubles et quelques posters de monstres sur les murs. Victor pouvait venir. Un garçon de son âge que Rebecca trouvait A-DO-RABLE, il y avait de quoi se méfier. Surtout qu'il ne parlait probablement pas un mot d'anglais. Elle irait dormir chez Jenny. Ce soir et demain aussi.

À 10 heures 35, l'Eurostar entrait dans Waterloo Station. M. Hunt révisait une dernière fois les trois phrases de bienvenue que les jumelles lui avaient apprises en français.

Tout se passa très bien. Après avoir embrassé Clémentine, son frère et leurs parents, Rebecca fit les présentations. M. Hunt était ému d'entendre parler sa fille avec autant d'aisance dans une langue qu'il avait toujours trouvée si difficile. Il serra la main aux quatre Julliard et les invita d'un geste et d'un sourire conjugués à le suivre vers la sortie.

C'est ce moment que choisit Miranda pour lancer dans la conversation la longue phrase française que Rebecca lui avait apprise un jour. C'était la seule qu'elle connaissait.

– Pouvez-vous m'indiquer le chemin de la tour Eiffel ?

L'effet ne se fit pas attendre. M. Julliard lui fit un sourire charmé, et Mme Julliard, attendrie, la serra dans ses bras en prononçant un discours auquel Miranda ne comprit strictement rien.

– Que c'est mignon ! s'exclama-t-elle. Quand tu viendras nous voir en France, je te promets que nous irons la voir. On t'emmenera même tout en haut. Tu verras, c'est superbe. Rebecca, ta petite sœur est adorable.

Elle se tourna vers son fils.

– Victor, je suis contente pour toi. J'ai l'impression que vous allez bien vous entendre tous les deux.

Embarrassé, Victor détourna la tête, et son regard croisa celui de Miranda qui l'observait en cachette depuis qu'il était descendu du train. Il avait l'air plutôt sympathique. Des cheveux bruns bouclés, des yeux verts et un sourire engageant. Douze ans ? Non, plutôt treize. Pour une fois, Rebecca avait vu juste, le frère de Clémentine n'avait pas l'air désagréable du tout.

Ils laissèrent passer les autres devant et, quand ils se retrouvèrent seuls, Victor tendit un bout de papier à Miranda.

– Est-ce que tu connais ce groupe ? demanda-t-il dans un anglais hésitant mais impeccable. Je cherche leur premier album. On ne le trouve pas en France.

Miranda lut le nom du groupe. C'était un de ses préférés.

– Je l'ai, dit-elle. Je te ferai une cassette ce soir.

Tous passèrent une excellente journée à se promener dans Londres. M. Hunt était un guide accompli, Clémentine et les jumelles assurèrent la traduction de ses commentaires, et les Julliard, enchantés par cet accueil, décidèrent de se remettre à l'anglais. Victor

et Miranda suivaient le mouvement à quelque distance en essayant de se comprendre.
Dans l'ensemble, ils y réussirent assez bien
et ils s'amusèrent beaucoup.

Miranda apprit que Victor jouait au foot,
qu'il aimait faire du ski et qu'il avait un
chat roux et blanc du nom d'Oscar qui était
le plus intrépide et le plus chapardeur de
tout le quartier. Quant à Victor, il n'était
pas sûr d'avoir tout bien compris. Miranda
était-elle vraiment membre d'une agence
de détectives qui avait aidé la police à arrêter des malfaiteurs ? C'était assez invrai-
semblable, il n'y avait que dans les livres
que de telles choses arrivaient. Victor se
disait qu'il avait encore pas mal de progrès
à faire en anglais.

Il était sept heures du soir lorsque le téléphone sonna chez les Adams. Jenny se précipita.

– Viens dîner à la maison, dit Miranda. Ils
sont tous très sympas.

– Mais je ne parle pas un mot de français !

– Ça ne fait rien. Victor se débrouille en
anglais. Dépêche-toi ! On mange dans dix
minutes.

Après s'être régalés d'un succulent rosbif
aux haricots princesse et d'une tarte aux
pommes chaude arrosée d'une onctueuse
crème à la vanille pour lesquels Mme Hunt
fut vivement félicitée, les adultes passèrent
au salon. Rebecca, Betty et Clémentine se

chargèrent de débarrasser la table. Quand Jenny, Victor et Miranda proposèrent de les aider, ils furent gentiment renvoyés.

– Allez jouer, les petits, dit Rebecca, on a des choses à se raconter.

Miranda sortit ses cassettes de l'armoire, Victor alla chercher les siennes et Jenny installa des coussins par terre.

– On fait une partie de Monopoly ? demanda Miranda.

– Oh yes, répondit Victor, ravi de pouvoir se raccrocher à quelque chose qu'il connaissait. En voyant les noms des rues sur le jeu, il fut quand même surpris. C'étaient des rues de Londres et elles étaient toutes en anglais. Mais il en reconnut certaines, c'était là qu'ils s'étaient promenés le jour même. Jenny remporta la première partie. Aussitôt, les deux autres demandèrent une revanche et le jeu reprit de plus belle. Vers minuit, Mme Hunt vint frapper à la porte.

– Encore dix minutes, maman, cria Miranda. Victor est en train de gagner.

Jenny la regarda bouche bée. C'était la première fois qu'elle voyait Miranda, si mauvaise perdante d'habitude, accepter de bonne grâce la victoire d'un autre.

Un peu plus tard, couchées côte à côte sur le canapé convertible du salon, elles firent des projets pour le lendemain. L'horloge sur la cheminée sonna deux coups. Jenny bâilla.

– Bonne nuit, dit-elle en s'emmitouflant dans son sac de couchage.

– Bonne nuit, dit Miranda qui n'avait pas sommeil du tout. Il faut qu'on appelle Peter demain matin. Il sera content de venir avec nous.

– Pas la peine. Il est parti pour le week-end chez sa tante à Brighton et il ne reviendra que lundi. C'est son père qui me l'a dit ce soir au téléphone.

– C'est bête, on se serait bien amusés tous les quatre.

– Si tu veux mon avis, dit Jenny à moitié endormie, il a eu honte de ce qu'il a fait, c'est pourquoi il s'est réfugié chez sa tante. Mais il ne perd rien pour attendre ! On va lui faire passer un mauvais quart d'heure dès qu'il sera rentré.

Miranda n'avait envie de faire passer de mauvais quart d'heure à personne. Elle repensa à la belle journée qu'elle venait de passer, et elle était de très bonne humeur. Elle entendait le souffle régulier de Jenny qui dormait paisiblement. Et Victor ? Est-ce qu'il dormait lui aussi ? Sans doute, mais rien ne l'empêchait de s'en assurer elle-même.

Miranda se leva, traversa l'entrée dans le noir et monta l'escalier. Tout était silencieux. Arrivée sur le palier, elle colla l'oreille contre la porte de sa chambre. Pas un bruit. Elle appuya sur la poignée et poussa doucement la porte. Victor ne dormait pas. Elle vit sa silhouette, debout, accoudée à la fenêtre ouverte qui donnait sur le jardin. Alerté par le courant d'air qu'elle avait créé en ouvrant la porte, il tourna la tête vers elle et lui fit signe d'approcher.

La pleine lune inondait le jardin d'une lumière singulière.

– Regarde ! dit-il en lui prenant la main.

Cinq petites boules noires se déplaçaient à travers le gazon. Leurs truffes luisaient sous la lune, leurs piquants ondulaient à chaque mouvement de leurs pattes.

– C'est une famille de hérissons, chuchota Miranda. Viens, je sais ce qu'on va faire.

Ils descendirent à la cuisine. Miranda remplit une assiette creuse de lait, Victor ouvrit la porte de la véranda et Miranda posa l'assiette dans l'herbe mouillée. Ils s'assirent l'un près de l'autre sur les coussins du vieux canapé pour attendre le retour des hérissons. Miranda s'endormit la première, Victor peu après. Quand le soleil les réveilla, l'assiette était vide.

5

PETER SE REBIFFE

– C'est celle-ci la meilleure, dit Jenny.

– Évidemment, c'est moi qui l'ai prise. On va la lui envoyer tout de suite.

La photo montrait Jenny, Victor et Miranda dans le cabinet de Mme Tussaud, le fameux musée où étaient exposées des figures en cire grandeur nature qui représentaient des personnages célèbres.

Ils l'avaient visité la veille, juste avant le départ des Julliard.

Elles quittèrent le magasin de photo. Il était deux heures. Peter ne partirait pas avant trois heures et demie pour sa tournée.

– Passe-moi ton stylo, s'il te plaît, dit Miranda.

Elle s'assit sur le rebord de la vitrine, retourna la photo et tira un trait au milieu. En laissant un espace pour le timbre, elle marqua sur la partie droite :

Victor Julliard
32, rue des Ducs de Bourgogne
21000 Dijon
France

Sur la gauche, elle écrivit :

Hi Victor,
How are you ? I am fine.
I miss you. Please write to me.
See you soon in Highgate or in Dijon.

Elle ajouta son nom et passa la carte à Jenny pour qu'elle la signe.
Du bureau de poste, elles allèrent chez Peter.
Miranda sonna. Il ouvrit presque aussitôt. Contrairement à ce qu'elles avaient prévu, il avait l'air content de les voir.
– J'étais sûr que vous alliez passer. Venez, j'ai une surprise pour vous.
– Vraiment ? lâcha Jenny sur un ton glacial.
– Oui, venez que je vous montre !
Il monta l'escalier qui menait à sa chambre.
– Te fatigue pas, dit Miranda, on sait tout.
Peter fronça les sourcils.
– Vous savez tout ? Mais comment ?
Miranda lui lança un regard percutant.
– Tu nous prends pour qui ?
Jenny fit une mine outrée.
– Tu ne recules vraiment devant rien.
Peter eut l'air perplexe.

– Mais c'est pour nous que je l'ai fait, bredouilla-t-il, pour notre agence. Au lieu de m'engueuler, vous devriez me remercier.

– Rien ne justifie un vol.

– Quoi ? s'écria-t-il. Mais je ne l'ai pas volé. Je l'ai eu en travaillant. Et vous ne pouvez pas savoir à quel point ils sont lourds, ces journaux.

– Pas tous, dit Miranda avec un sourire fielleux. On en a trouvé un qui avait été un peu allégé, n'est-ce pas, Jenny ?

– Allégé ? Vous ne seriez pas un peu allégées de la cervelle toutes les deux ?

Il tira une petite clé de sa poche et ouvrit le tiroir de son bureau.

– Tu l'as bien mis à l'abri, fit remarquer Jenny. On dirait que tu y tiens.

– Et comment ! dit Peter en plongeant la main dans le tiroir, je me suis donné du mal pour l'avoir. Regardez !

– Mais… bégaya Jenny, mais c'est de l'argent !

– Oui, et c'est moi qui l'ai gagné.

Peter agita fièrement ses billets de banque.

– On va enfin pouvoir acheter la surprise dont je vous ai parlé.

– Et le journal ? demanda Jenny.

– Je continue à le distribuer. Harry a été sympa, il m'a avancé l'argent de cette semaine.

– Je te parle du journal de la bibliothèque. Qu'est-ce que tu as fait de la page que tu as arrachée ?

– Que j'ai quoi ? s'écria Peter. Mais vous êtes tombées sur la tête ! Ça fait des semaines

45

que je n'ai pas mis les pieds à la bibliothèque,
et quand j'y vais, je me conduis correctement.
Et maintenant, si ça ne vous embête pas, je
pense avoir droit à quelques explications !
Jenny et Miranda lui racontèrent leur visite
à la bibliothèque.

– Charmant, conclut Peter. Non seulement
vous y êtes allées sans me le dire, mais en
plus, c'est moi que vous avez soupçonné
d'avoir volé la page. La confiance règne, à
ce que je vois. Ça fait plaisir.
Jenny regarda fixement les bouts de ses
chaussures.

– Excuse-nous, murmura-t-elle, mais on a
vraiment cru que...

– Est-ce que j'ai une tête de voleur ?

– Parfaitement, dit Miranda, rien qu'à voir
tes sourcils, on est tout de suite fixé, n'est-
ce pas Jenny ?
Elle partit d'un éclat de rire qui détendit
l'atmosphère. Jenny décrivit à Peter le visage
de l'homme qu'elles avaient vu sur la photo.

– Il avait une blessure sur la tempe. La blessure était recousue avec des points de suture,
ajouta Miranda. Vraiment pas beau à voir,
ce Renard, pas vrai, Jenny ? Coucou, Jenny,
on te parle !
Jenny paraissait perdue dans ses pensées,
mais en vérité elle venait de trouver ce
qu'elle cherchait depuis qu'elle savait que
Peter était hors de cause. C'était une question grave, voire inquiétante :

– Qui a fait disparaître la page du journal ?

– Des souris, lança Miranda.

– Très drôle !

Peter prit la défense de Miranda :

– C'est vrai que les souris adorent le papier journal. Je le sais parce que Harry en a dans sa réserve. Elles lui ont grignoté toute une pile de magazines de *Cuisine végétarienne*.

– Pas folles, les souris, pouffa Miranda, elles ne vont tout de même pas s'attaquer à des revues de moto.

– Et si on demandait à la bibliothécaire de nous décrire la personne qui a emprunté les journaux juste avant nous ? suggéra Jenny.

– Sans moi, dit Miranda, je crains ses pastilles vertes. De toute façon, elle ne connaît probablement pas le nom de la personne, et même si elle le connaît, elle n'a aucune raison de nous le donner.

– C'est juste, dit Peter, on n'est quand même pas de la police.

Jenny se mordillait la lèvre. Peter et Miranda ne savaient pas que, dès vendredi, elle avait ouvert un nouveau dossier qu'elle avait appelé « La Rançon du Renard ». Pour l'instant, il était encore pratiquement vide, mais elle était fermement décidée à le remplir.

– Qui pouvait avoir intérêt à s'emparer de l'article ? demanda-t-elle.

– Aucune idée, dit Peter. Peut-être quelqu'un qui a lu l'entrefilet de la page 15 et qui espère retrouver l'argent de la rançon.

Jenny ouvrit son cahier de notes et pointa

du doigt le titre incomplet qu'elle avait reco-
pié à la bibliothèque.

– Tu as une idée pour la fin ?

– « Arrestation au co... », lut Peter. Je sup-
pose que ça veut dire « Arrestation au commissariat ».

– C'est ce qu'on pensait nous aussi, mais ça
n'a pas de sens. Vous imaginez le Renard se
présenter au commissariat en disant : « Bonjour messieurs les policiers, je viens pour me
faire arrêter » ?

– C'est effectivement peu probable.

– Il nous manque des informations très
importantes, continua Jenny. Nous connais-
sons le montant de la rançon : cinquante
mille livres ; l'heure à laquelle il l'a ramassée :
16 heures 30 ; ainsi que l'endroit où la mallette avait été déposée : une cabine téléphonique à côté de la gare. Mais nous ignorons
à quel endroit exactement le Renard a été
arrêté. Et ça, l'article le mentionne certainement.

– Si je me souviens bien, dit Miranda, il a été
arrêté vers cinq heures, ce qui veut dire qu'il
a réussi à cacher la rançon en moins d'une
demi-heure. Et en une demi-heure, on ne
peut pas aller très loin, surtout si on cherche
une bonne cachette pour son trésor.

– Cela signifierait, enchaîna Jenny, qu'en
regardant le plan de Highgate et en traçant
au crayon tous les itinéraires possibles qui
partent de la gare et qui ne demandent pas
plus de trente minutes de marche à pied,

on devrait être capable de délimiter la zone à l'intérieur de laquelle se trouve l'argent de la rançon.

– C'est un excellent raisonnement, chère collègue, dit Peter, mais tu ne crois pas que la police a dû faire le même à l'époque ? Et elle n'a strictement rien trouvé.

Jenny fit un dernier effort pour sauver son nouveau dossier :

– Je suis persuadée que quelqu'un est en train d'essayer de retrouver cet argent, quelqu'un qui possède peut-être des informations que nous n'avons pas… des renseignements qui lui permettent d'accéder à la rançon… enfin, je ne sais pas.

– Je sais, dit Peter, on arrête de se casser la tête et on va chercher notre surprise. J'espère seulement qu'elle est encore là.

6

UNE ODEUR PROMETTEUSE

– Youpi ! jubila Peter, ils sont toujours là !
Vous les voyez ?

Il s'était arrêté dans une rue étroite, devant
la vitrine d'une boutique que Jenny et Miranda n'avaient jamais remarquée jusque-
là. Pour y parvenir, ils avaient traversé High
Street, la rue principale de Highgate, et ils
avaient tourné à gauche juste après la grande
pharmacie. Une centaine de mètres plus
loin, une petite rue partait en biais. C'est
elle qui les avait menés jusqu'à la boutique.

– On ne s'attend pas à trouver un magasin pareil dans un coin aussi désert, dit
Peter. Je suis tombé dessus par hasard un
matin où je m'étais perdu en allant au collège. C'était l'année dernière, quand je suis
arrivé à Highgate. Alors, qu'en dites-vous ?

Ils vous plaisent ?

Ne sachant pas de quoi Peter voulait parler, les deux filles ne surent que répondre. À en juger d'après l'abondante marchandise exposée en vrac : téléviseurs, transistors, magnétophones, téléphones, dictaphones, chaînes hi-fi, ordinateurs, consoles de jeu, etc., le magasin était un dépôt-vente d'articles électroniques.

– Tu peux préciser ? demanda Miranda sans grande curiosité.

En effet, le contenu de la vitrine ne l'inspirait nullement, et son intérêt pour la fameuse surprise était en chute libre. Sans aucun doute, Peter avait encore jeté son dévolu sur un de ces gadgets électroniques qui le faisaient rêver mais qui la laissaient, quant à elle, parfaitement indifférente. En revanche et comme pour la consoler, elle sentait une fine odeur de beignets frais lui titiller les narines. Il devait y avoir une boulangerie pas loin. Mais où ?

– À côté du poste de radio, dit Peter, dans la boîte bleue.

– Des talkies-walkies ! s'exclama Jenny, c'est génial pour nos enquêtes !

– Super, marmonna Miranda qui n'en pensait pas un mot.

Peter était tout excité.

– Vous vous rendez compte ? On pourra communiquer les uns avec les autres en étant dans deux endroits différents.

– Et quand l'un de nous est en filature, il

pourra se mettre en rapport avec la base, dit Jenny qui se voyait déjà sur le terrain, son talkie-walkie à la main.

– Je ne sais pas si vous êtes au courant, lâcha Miranda, mais pour appeler quelqu'un quand on est dans la rue, il y a des petites maisons en verre qu'on appelle « cabines téléphoniques » !

– Il n'y en a pas partout, contra Peter, et quand on en a enfin trouvé une, il faut attendre parce que, les trois quarts du temps, elle est déjà occupée.

– Ce qui fait qu'on perd la trace du suspect qu'on était en train de suivre, renchérit Jenny. Ce n'est pas pour rien que la police a des talkies-walkies. C'est génial, Peter, tu as vraiment eu l'idée du siècle !

Peter passa devant Miranda avec un sourire triomphal qui en disait long.

Il poussa la porte du magasin. Aussitôt, une sonnerie retentit et derrière le comptoir, au fond de la boutique encombrée, un vieux monsieur avec une crinière de cheveux blancs leva la tête.

– Je vous laisse faire, chuchota Miranda à l'oreille de Jenny. Je reviens dans cinq minutes. Il faut que j'aille vérifier quelque chose.

Et avant que Jenny n'ait pu réagir, Miranda avait filé dans la direction d'où provenait l'odeur des beignets.

D'un pas décidé, elle descendit la petite rue. Des talkies-walkies ! Elle se garderait bien d'y toucher, et pour cause ! C'était probablement encore ce genre d'appareils qui tombaient en panne dès qu'elle s'en approchait. Comme l'imprimante du collège qui, au lieu de sa rubrique de blagues lui avait sorti des pages couvertes de chiffres, ou comme le bec Bunsen qui s'était rallumé tout seul en pleine interrogation de chimie. Miranda n'était pas fâchée avec la technique, mais elle se demandait parfois pourquoi la technique s'obstinait à se fâcher avec elle.

« Tant pis, se consola-t-elle, pendant que Jenny et Peter feront joujou avec leurs engins, je ferai marcher ma tête. »

Elle repensa au titre incomplet du *Courrier de Highgate* devant lequel ils avaient séché tous les trois.

« Arrestation du "Renard" au co... », murmura-t-elle en essayant de trouver la suite... au coin d'un bois ? au collège Thomas Petheridge ? au concert de la fanfare municipale ? Non, ce n'était pas ça. Et pourtant...

Elle huma l'air qui était de plus en plus chargé de l'odeur irrésistible des beignets.

« Tu es sur la bonne voie, ma grande, s'encouragea-t-elle, encore un petit effort et tu seras récompensée. »

Elle était revenue à l'embranchement de la petite rue et tourna à droite en direction de High Street, quand elle se rendit compte qu'une autre rue, tout aussi étroite et déserte, partait pratiquement du même endroit.

Elle devait être à peu près parallèle à High Street.

Afin de pouvoir se repérer tout à l'heure, Miranda leva la tête à la recherche de la plaque indiquant le nom de la rue où se trouvait le magasin avec les talkies-walkies. « Pollard Lane », lut-elle. Elle reprit son chemin en répétant à chaque pas le nom dans sa tête. Pollard Lane. Pollard Lane. Pollard Lane. Elle était sûre de n'avoir jamais auparavant mis les pieds dans cette rue. Pourtant, le nom lui semblait vaguement familier. Et tout à coup, elle comprit !

Pollard, ce n'était pas le nom du policier qui avait arrêté le « Renard ». Non, c'était la première partie du nom d'une rue ! Du nom de la rue… au coin… de laquelle le maître chanteur avait été arrêté !

Miranda fit demi-tour et remonta Pollard Lane en courant. Sa trouvaille lui donnait des ailes. À bout de souffle, elle poussa la porte de la boutique. Personne ne lui prêta la moindre attention. Accoudés au comptoir, Peter et Jenny étaient penchés sur la boîte bleue que le vieux monsieur avait sortie de la vitrine.

– Je vous les fournis avec les piles, était-il en train de leur dire, et je peux vous assurer que vous faites une excellente affaire. Des talkies-walkies de cette qualité, je n'en ai pas eu beaucoup, et ça fait quand même un certain nombre d'années que je suis ici. Quant au maniement des appareils, c'est très simple. Si vous voulez, je vous explique…

– Merci, dit Peter, mais je pense que je connais.

– Pas moi, monsieur, dit Jenny. Alors, si ça ne vous ennuie pas…

– Mais pas le moins du monde. Regarde. Voici la touche « marche/arrêt »…

– Jenny, j'ai trouvé, chuchota Miranda.

– Chut ! J'écoute le monsieur, c'est très important.

Miranda se tourna vers Peter :

– Peter, tu sais comment s'appelle la rue…

– Attends, j'ai une question à poser au monsieur. Excusez-moi, mais j'ai oublié de vous demander la portée et la fréquence des appareils.

– Pour la fréquence, tu peux être tranquille. Tu ne risques pas de tomber sur celle de la police.

En feignant de ne pas voir la mine déçue de Peter, il continua :

– Quant à la portée, eh bien, ça dépend un peu de l'endroit où tu te trouves et de ce qui peut faire écran à la réception. De grands immeubles, par exemple. Et si tu parles en étant près d'un appareil électrique, un poste de télévision par exemple, ou d'un objet métallique comme un radiateur, ton correspondant t'entendra mal parce qu'il aura des craquements parasites dans son poste.

– Tu as bien compris, Peter ? dit Miranda en essayant d'attirer l'attention sur elle, il ne faudra pas t'en servir quand tu regardes la télé en te chauffant les fesses sur le radiateur. Mais Peter était pendu aux lèvres du vendeur qui se lançait dans des explications de plus en plus alambiquées. D'un geste de désespoir, Miranda prit Jenny par le coude et l'entraîna à l'écart du comptoir.

– Pollard Lane, dit-elle. Ça ne te dit rien ? Alors, écoute bien !

En peu de mots, Miranda lui expliqua comment elle avait fait le lien entre le nom de la rue et les bribes de phrases sur le journal. Jenny parut sceptique.

– Qu'est-ce que le Renard serait venu faire dans cette rue insignifiante ?

Miranda haussa les épaules. Elle jeta un coup d'œil par la porte vitrée du magasin. En effet, la rue était parfaitement banale, et, à l'exception d'un monsieur coiffé d'une grande casquette écossaise qui, un porte-documents sous le bras, descendait d'un pas nonchalant en direction du centre-ville, elle était même quasiment déserte.

– On pourrait demander au vieux monsieur, suggéra-t-elle. Si j'ai bien compris, ça fait un bon moment qu'il tient ce magasin. Il sait peut-être quelque chose.

– C'est un peu délicat.

– Alors laisse-moi faire.

Elle revint vers le comptoir en parlant fort.

– Est-ce que je t'ai raconté le reportage que j'ai vu à la télé, Jenny ? Non ? Ça se passait quelque part en Espagne où, un certain jour, on lâche des taureaux dans la ville. Il paraît que c'est une vieille coutume. Les taureaux se lancent à la poursuite des hommes qui les attendent pour les braver. Si tu avais vu comment ils narguaient les taureaux et comment ils les esquivaient au dernier moment ! Dans des rues pas plus larges que celle-ci. C'était incroyable.

Le vieux monsieur qui emballait la boîte contenant les talkies-walkies avait levé les yeux. Miranda lui fit un sourire.

– Des courses poursuites comme ça, je parie que vous n'en avez jamais vu ici, dans Pollard Lane.

– Ah non, par ici, c'est plutôt tranquille. Enfin, dans l'ensemble.

Dans l'ensemble ? Ça voulait dire quoi ? Miranda décida d'insister. Elle fit semblant de réfléchir.

– Pollard Lane ? Ce n'est pas ici qu'il y a eu une course poursuite entre la police et un gangster ?

Le vieux monsieur secoua sa crinière blanche en guise d'affirmation.

– Si, si, mais c'est une histoire qui remonte à très longtemps.

– De quoi s'agissait-il exactement ?

– De l'arrestation d'un dénommé… Foxtrott ? Oui, c'était ça son nom, mais tout le monde l'appelait le Renard. Ce jour-là, il y a eu du remue-ménage dans la rue.

– Vous vous en souvenez encore ?

– Parfaitement. C'était vers cinq heures du

soir. Je me trouvais dans l'arrière-boutique en train de laver la boîte en plastique dans laquelle j'avais apporté mon sandwich. Ce jour-là, c'était thon-tomate-mayonnaise, et la mayonnaise avait coulé partout. Je nettoie donc ma boîte quand soudain j'entends des cris et des coups de sifflet. Je cours à la porte du magasin pour voir ce qui se passe, et je vois ce policier... Comment s'appelait-il déjà ? Watson ?... Jenkins ?... oui, je crois que c'était Jenkins, Alan P. Jenkins, mais peu importe, à ce moment-là, je ne savais même pas que c'était un policier vu qu'il était en civil...

– En civil ?

– Oui, c'était son jour de congé. Il se promenait sur High Street avec sa femme quand il a reconnu le Renard dans la foule. L'autre a pris la fuite. Il s'est engouffré dans l'une des rues adjacentes, puis il a remonté Pollard Lane. Manque de chance, elle était bouchée à cause d'un chantier, et il a dû rebrousser chemin. C'est ainsi que Jenkins l'a cueilli au coin de la rue. Il l'a plaqué au sol, l'autre s'est débattu, il a même sorti un couteau. C'était impressionnant.

– Il y a eu du sang ?

– Oui, il y en a eu, effectivement. L'un des deux saignait pas mal, mais je ne me souviens plus si c'était l'inspecteur ou Foxtrott.

– C'était certainement Foxtrott, dit Jenny.

– Possible.

– Est-ce qu'il avait une mallette avec lui ?

– Non, et c'était ça, le grand mystère, parce que, justement, il venait d'encaisser une énorme somme d'argent.

– Une rançon de cinquante mille livres ?

– Oui, on ne l'a jamais retrouvée. Lors du procès, il a tout nié en bloc, mais il y avait tellement d'autres charges contre lui qu'il a été condamné à une lourde peine.

– À combien d'années de prison ? intervint Jenny.

Le vieux monsieur haussa les épaules.

– Je ne me rappelle plus, mais je dirais dans les dix ans.

– Et ça s'est passé il y a dix ans ?

Le vieux monsieur hésita un instant.

– Oui, quelque chose comme ça, murmura-t-il enfin. Ma femme était déjà à l'hôpital.

Peter prit la boîte avec les talkies-walkies.

– Merci beaucoup, monsieur !

– Au revoir, les jeunes ! Et revenez me voir si vous avez un problème !

– Dix ans, murmura Peter quand ils se retrouvèrent dans la rue. Ça signifie que le Renard peut être remis en liberté d'un instant à l'autre.

– Oui, dit Jenny, à moins que ça ne soit déjà fait.

7

SILENCE RADIO

– J 203-1 à J 203-2. Vous me recevez ? Terminé.

Jenny appuya sur la touche « émission » du talkie-walkie et approcha l'appareil de sa bouche.

– Ici J 203-2. Je vous reçois fort et clair. Terminé.

Elle se retourna vers Miranda.

– C'est fabuleux, non ?

Elle rappuya sur le bouton.

– J 203-2 à J 203-1. Avez-vous quelque chose de suspect à signaler ? Terminé.

La voix de Peter grésillait dans le récepteur.

– RAS. Et vous ? Terminé.

Miranda prit l'appareil des mains de Jenny.

– Juste un type avec un talkie-walkie sur l'autre trottoir qui se prend drôlement au sérieux. Pourquoi est-ce que tu ne nous appelles pas par nos noms ? J 203, c'est ridicule. Terminé.

Un autobus lui masqua momentanément la vue. Quand il fut passé, elle vit que Peter lui lançait un regard noir.

– Il faut bien qu'on ait un code pour que vous sachiez que c'est moi qui essaie de vous contacter. Terminé.

Miranda rendit l'appareil à Jenny.

– Tiens, je te laisse faire joujou. Moi, ça ne m'intéresse pas.

Jenny ne se fit pas prier. Elle pressa la touche « émission ».

– J 203-2 à J 203-1 ! Venons de repérer personnage suspect. Allons le prendre en filature. Restez en ligne. Je répète : restez en ligne.

Elle se mit à courir en se faufilant entre les piétons qui venaient en sens inverse. Miranda s'élança à son tour. Dans sa précipitation elle faillit se prendre les pieds dans une longue laisse de chien au bout de laquelle un teckel hargneux se mit à glapir furieusement. Elle se rattrapa de justesse en s'agrippant au bras d'un passant qui l'enguirlanda aussitôt vivement :

– Tu ne peux pas regarder où tu mets les pieds, petite gourde ? Tu as failli me renverser. Il enfonça sa casquette à carreaux verts et bleus, serra sa serviette contre sa poitrine et s'éloigna en grommelant.

– Tu as vraiment l'art de ne pas passer

inaperçue, fit remarquer Jenny quand Miranda la rejoignit.

– J 203-2, que se passe-t-il ? s'enquit la voix de Peter.

– Tout va bien. Nous continuons notre filature. Voici le signalement de la personne : foulard à grosses fleurs, manteau marron et chaussures à talons. Elle porte deux sacs à provisions. Restez en contact, J 203-1.

En apercevant dans la foule la femme au foulard que Jenny venait de décrire Miranda s'esclaffa.

– Tu files les ménagères maintenant ?

– C'est un exercice d'entraînement, se défendit Jenny. Imaginons que cette femme soit un agent secret.

– Vu ses dimensions, elle pourrait même être un agent double.

– Si je la vois sortir de ma zone d'observation, j'avertis Peter, et c'est lui qui prend le relais. Notre zone c'est ce côté de la rue et la sienne celui d'en face. Nous l'observons tant qu'elle se trouve sur ce trottoir, et Peter dès qu'elle met le pied sur l'autre.

– Passionnant. Qu'est-ce qu'on fait si elle se fait renverser en plein milieu de la rue ? On regarde tous les trois ailleurs ? Tu veux que je te dise ? Votre petit exercice manque de suspense, mais on va y remédier.

Elles étaient arrivées à la hauteur d'un grand magasin. Des deux côtés de la porte d'entrée s'alignaient des présentoirs et des portants avec des articles en promotion. La femme au foulard fleuri avait posé ses sacs et fouillait dans un bac où s'amoncelaient pêle-mêle porte-monnaie, porte-feuilles, trousses de toilette et sacs à main.

– J'y vais, chuchota Miranda. Suis-moi !

Elle plongea sous un porte-vêtements circulaire où se balançaient, rose saumon, vert pomme, bleu ciel ou jaune canari, les pulls invendus de la saison dernière.

Jenny s'approcha. De derrière la tringle lui parvint la voix de Miranda.

– Notre cible saisit un sac à main marron, et elle le palpe de ses doigts légèrement boudinés. Elle le repose sur le tas… Elle le regarde d'un air songeur. Ça y est ! Elle l'a repris en main ! Une mèche grise s'échappe de son foulard qu'elle remet en place d'un geste nerveux. Ses doigts enserrent la fermeture du sac. L'ouvrira-t-elle, ne l'ouvrira-t-elle pas ? Que contient-il ? Un message secret laissé par un complice ou bien un engin explosif qui risque de se déclencher dès qu'elle ouvre le sac ? J 203-2 et J 203-1 ! Lancez l'alerte et faites évacuer le secteur. Je répète, lancez l'alerte…

– Sors de là et va jouer ailleurs ! vitupéra la vendeuse. À moins que tu ne veuilles acheter quelque chose.

Miranda s'extirpa de sous le portant. Jenny l'aida à se redresser. Sa voix tremblait pendant qu'elle lui murmurait à l'oreille :

– Regarde ! C'est lui !

– Qui ça ? demanda Miranda en essayant de suivre son regard.

– L'homme au blouson délavé ! C'est lui ! C'est le Renard ! Regarde son visage ! Tu ne trouves pas qu'il ressemble à la photo du journal ?

– Je ne le vois toujours pas.

– Il s'est arrêté devant le stand de pâtisseries. On le voit de profil. C'est lui, j'en suis sûre.

Miranda mit ses mains autour de ses yeux comme si elle avait des jumelles.

– Il a l'air plus vieux que sur la photo.

– C'est normal, elle a été prise il y a dix ans.

L'homme avait repris sa marche. Il était assez loin devant elles. Arrivé à la hauteur d'un passage protégé, il se dirigea vers le bord du trottoir. Jenny appuya sur « émission ».

– Peter, tu m'entends ?

– Ici J 203-1. Vous avez oublié d'utiliser le code d'appel, J 203-2. Il faudrait y penser, la prochaine fois.

– Arrête deux secondes et écoute-moi ! On vient de voir le Renard dans la foule. On l'a reconnu grâce à la photo du vieux journal.

– Que je n'ai pas vue, moi.

– Il est en train de traverser la rue, au grand carrefour. Il porte un blouson délavé et un pantalon en toile bleu marine. Il a les cheveux châtains, assez clairsemés.

– Il est grand ?

– Oui, il fait au moins un mètre quatre-vingts.

– Je crois que je le vois. Vous êtes sûres que c'est lui ?

– Oui.

– Je le prends en filature. Terminé.

Jenny et Miranda eurent beau courir, quand elles arrivèrent au carrefour, le feu venait de passer au rouge.

– Tu vois qu'ils sont utiles, ces talkies-walkies, dit Jenny en sautillant sur place. Sans eux, on perdait la trace du Renard.

– Mouais, admit Miranda du bout des lèvres. Vert ! Elles bondirent sur la chaussée. De l'autre côté, il n'y avait pas la moindre trace ni de Peter ni de l'homme au blouson.

Jenny appuya sur la touche « réception ». Aussitôt, la voix de Peter résonna dans l'appareil.

– Je le suis, mais ce n'est pas facile parce qu'il s'arrête tout le temps. Il fait semblant de regarder les vitrines, de lire les affiches de cinéma…

Miranda fronça ses sourcils blonds.

– À quoi est-ce que tu vois qu'il fait semblant ? cria-t-elle dans l'émetteur.

– Il ne reste pas suffisamment longtemps pour regarder vraiment, et avant de continuer, il regarde chaque fois à droite et à gauche comme pour s'assurer que la voie est libre. Là, il est encore en train de le faire.

Le volume de la voix de Peter baissa brusquement pour redevenir plus fort l'instant d'après.

– Il repart. Je ne le lâche pas.

– Mais dis-nous où tu es ! s'impatienta Jenny.
Un grésillement à peine perceptible lui
revint. Elle colla l'appareil contre l'oreille et
appuya sur « émission » en criant à tue-
tête :
– Parle plus fort, Peter. Je n'entends rien.
Le poste resta muet.

8

ARTHUR MET SON GRAIN DE SEL

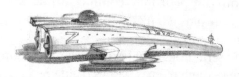

Arthur se roulait par terre.

– La honte ! s'esclaffa-t-il. Ma sœur, la super-détective, qui oublie de vérifier l'état des piles ! Quand je raconterai ça à mes copains, ils vont se bido… aïe !

La peau de banane lancée par Miranda l'atteignit en pleine figure.

– Toi le moustique, ne la ramène pas, sinon tu sais ce qui t'attend !

Arthur savait, et il se recroquevilla aussitôt sur la moquette. Miranda était une chatouilleuse terrible. Il en avait fait l'expérience une fois et ne tenait nullement à la renouveler, surtout pas en présence de Peter.

Miranda le regarda en souriant. Il n'avait pas tort. Ne pas s'être assurés du bon état de leur matériel avant de partir en filature, ça la fichait plutôt mal pour des détectives, mais ce n'étaient certainement pas des choses à dire aux deux mordus de talkies-walkies. Arthur était retourné à ses figurines de soldats intergalactiques qui s'affrontaient sur la moquette, et Miranda se disait qu'elle échangerait volontiers ses sœurs jumelles contre un petit frère comme Arthur. Mais ça non plus, ce n'étaient pas des choses à dire en public.

– Ça sent drôlement bon, dit-elle. Tu es sûre que ta mère n'a pas besoin d'aide ?

Jenny secoua la tête.

– Non, quand elle rentre du travail elle préfère être seule. Ça la détend. On mettra le couvert tout à l'heure.

Elle se tourna vers Peter.

– Reprenons. Qu'est-ce qui s'est passé après qu'on a perdu le contact ?

– L'homme a continué à marcher, et moi, je l'ai suivi. Tout à coup, il a tourné à droite.

– Il t'avait repéré ?

– Non, je ne crois pas. J'étais bien planqué au milieu de la foule. On marchait presque tous dans la même direction.

– En direction de la gare ?

– Comment tu sais ?

– J'ai regardé ma montre quand mon talkie-walkie est tombé en panne. Il était cinq heures, l'heure de la fermeture des bureaux. Mais continue. Qu'est-ce qu'il a fait en arrivant à la gare ?

– Il a acheté un journal, et il s'est posté près

de l'entrée principale pour le lire, ou plutôt, il a fait semblant.

– Comment le sais-tu ?

– Il n'a pas tourné les pages une seule fois, et j'avais l'impression qu'il regardait par-dessus le journal.

– Pour vérifier s'il n'était pas suivi ?

– Probablement. Au bout d'un moment, il a replié le journal, il a sorti un ticket de sa poche, et il est parti en direction des quais.

– Pourquoi ne l'as-tu pas suivi ?

– Parce que j'étais déjà en retard pour ma tournée. J'ai couru au magasin qui n'est heureusement pas trop loin de la gare, j'ai pris les journaux et j'ai filé. Harry a horreur qu'on fasse attendre les clients.

Jenny ouvrit son cahier.

– Récapitulons, dit-elle en écrivant en haut d'une page « Éléments connus ». Première-ment, il y a dix ans, une valise contenant une rançon de cinquante mille livres a disparu quelque part entre la gare et Pollard Lane.

– Deuxièmement, continua Miranda en regardant par-dessus l'épaule de Jenny, la semaine dernière, quelqu'un a volé à la bibliothèque municipale l'article qui racon-tait l'arrestation du Renard.

– Et troisièmement, poursuivit Peter, vous avez vu à la bibliothèque la photo d'un homme qui illustrait l'article. Vous en avez conclu qu'il s'agissait de Ronald Foxtrott, dit le Renard...

– Parfaitement, dit Miranda. Et c'est après

avoir vu cette photo que Jenny l'a reconnu dans la rue. Moi aussi d'ailleurs. Je t'assure, Peter, c'était bien lui, il n'y a aucun doute là-dessus. Il doit être tout juste sorti de prison. Ça colle avec ce que nous a dit le vieux monsieur de la boutique, tu es bien d'accord ?

Peter haussa les épaules.

– Vous ne trouvez pas que c'est trop beau pour être vrai ? On tombe par hasard sur un cas extraordinaire qui n'a jamais été élucidé et qui, en plus, s'est produit ici à Highgate. Exactement ce qu'il fallait à Jenny pour sa rubrique. Et à peine a-t-on découvert ce cas merveilleux que vous repérez le personnage-clé de l'affaire, se promenant gentiment dans le centre de Highgate, après avoir passé dix ans en prison. Non, franchement, ça fait trop de coïncidences. On se croirait dans un mauvais polar. La vraie vie, c'est plus compliqué que ça.

Jenny réfléchit fébrilement. Elle comprenait les objections de Peter, et elle sentait que Miranda était en train de basculer dans son camp. D'un instant à l'autre, ses amis allaient la lâcher. À moins qu'elle ne trouve un argument infaillible pour leur montrer qu'ils étaient bel et bien sur la bonne piste et qu'il fallait, coûte que coûte, continuer l'enquête.

– Tu as raison, dit-elle à Peter, mais tu oublies une chose. Quelqu'un s'est rendu à la bibliothèque pour avoir l'article. Non pas seulement pour le lire mais pour l'arracher et l'emporter en douce. Cela prouve que l'article contenait des éléments précieux pour la personne qui l'a dérobé et cela prouve aussi qu'elle a voulu faire disparaître ces éléments par la même occasion. Je ne vois qu'une seule personne qui peut avoir intérêt à faire une chose pareille.

Peter secoua la tête.

– Ça n'a pas de sens, Jenny. Pourquoi le Renard aurait-il eu besoin de cet article ? Il sait mieux que quiconque ce qu'il a fait le jour de son arrestation.

– Soit, mais rappelle-toi ce qu'a dit le vendeur. Le Renard ne semblait pas connaître le quartier. Il s'est engouffré dans Pollard Lane sans savoir que la rue ne menait nulle part. C'est pourquoi il s'est fait prendre. S'il avait besoin de l'article, c'était pour reconstituer son itinéraire afin de retrouver la cachette où il a déposé l'argent de la rançon. Tu as dit toi-même qu'il avait l'air de chercher quelque chose.

– Pas exactement. Il semblait plutôt chercher quelqu'un dans la foule.

– Évidemment !

La voix venait de sous la table, là où Arthur avait installé sa base de vaisseaux spatiaux. Peter, Jenny et Miranda l'avaient complètement oublié.

– Si votre Renard est sorti de prison, la police le sait. Et elle se doute bien qu'il essaiera de récupérer l'argent.

Peter se pencha vers Arthur.

– Ce n'est pas bête ce que tu dis là. Tu crois qu'il est surveillé ?

– Oui, mais pas par des policiers en uniforme. Ce serait trop visible. Je pense qu'il est suivi par des policiers déguisés en gens normaux. Avec des imperméables et des chapeaux…

– Ça s'appelle des agents en civil, coupa Jenny sèchement.

– Attendez ! s'écria Miranda. Si la police sait que le Renard est sorti de prison, le Renard doit savoir que la police le sait, ce qui fait qu'il est sur ses gardes et qu'il s'en méfie.

– Surtout des agents en civil, dit Arthur, ceux qui font semblant de ne pas être des policiers.

– Le poulet est cuit. À table ! annonça Mme Adams.

Les trois amis s'étaient regroupés à un bout de la table.

– Vous croyez vraiment qu'Arthur a raison ? dit Jenny à voix basse.

Peter et Miranda firent oui de la tête. Jenny haussa les épaules.

– Ce serait bien la première fois qu'il dirait quelque chose d'intelligent, murmura-t-elle.

– J'ai tout entendu ! s'écria Arthur, et tu veux que je te dise ? Tu es jalouse parce que c'est moi qui ai trouvé.

– Trouvé quoi ? demanda Mme Adams.

– Que les policiers se sont habillés exprès comme tout le monde pour suivre le Renard sans qu'il les reconnaisse, et ça l'embête parce que ça l'empêche de récupérer l'argent de la rançon.

Mme Adams vit Jenny, Peter et Miranda baisser le nez sur leurs assiettes et s'affairer sur leurs morceaux de poulet. Elle échangea un regard rapide avec son mari.

– C'est un jeu auquel vous avez joué ? demanda-t-elle d'un air détaché.

– Pas du tout ! s'exclama Arthur. Ils disent qu'ils l'ont vu dans la rue cet après-midi et que c'était bien lui.

– Lui qui ?

– Le Renard. Mais en vérité il s'appelle Robert Foxtrott.

– Pas Robert, laissa échapper Jenny, Ronald. Elle s'en voulut aussitôt, elle en avait trop dit.

– Jenny, dit M. Adams, qu'est-ce que c'est que cette histoire ?

Peter vint au secours de son amie.

– Ce n'est rien. C'est quand on a voulu tester mes nouveaux talkies-walkies qu'on a vu un homme qui ressemblait vaguement à Ronald Foxtrott. On avait vu sa photo sur un vieux journal.

M. Adams reposa son couteau et sa fourchette.

– Ronald Foxtrott, alias le Renard. Je me rappelle bien. C'était ce maître chanteur qui avait réussi à berner la police de Highgate. Ça a fait pas mal de bruit à l'époque. Il a fait la une de tous les journaux. Je me souviens encore de sa tête. Il faut dire qu'il avait une tête qu'on n'oublie pas, surtout les cheveux. J'ai lu quelque part qu'il venait de sortir de prison. Il en avait pris pour dix ans.

– On l'a reconnu tout de suite, lâcha Miranda, bien qu'il ait moins de cheveux maintenant. Ils sont toujours châtain foncé, mais plutôt clairsemés et bien plaqués sur sa tête pour qu'on ne voie pas qu'il n'en a plus beaucoup. Un peu comme ceux de mon père. Vous voyez ce que je veux dire ?

– J'imagine plutôt la tête que ferait ton père s'il t'entendait, soupira M. Adams.

Miranda rougit jusqu'aux oreilles, ce qui ne lui arrivait pas souvent.

– Je peux vous affirmer que vous vous êtes trompés, reprit le père de Jenny. L'homme que vous avez vu ne peut être le Renard. Si on l'appelait comme ça, c'est bien sûr parce qu'il était très rusé, mais surtout à cause de sa crinière rousse flamboyante.

– Comment ? balbutia Jenny. Tu veux dire que le Renard est roux ?

– C'est écrit dans tous les livres de zoologie, se moqua son père. Mais plaisanterie mise à part, j'aime autant que vous vous soyez trompés car Ronald Foxtrott est un homme dangereux et sans scrupules. Ce n'est certainement pas sur lui que je voudrais vous voir exercer vos talents de détectives. Alors dépêchez-vous d'oublier cette histoire. J'espère que je me suis bien fait comprendre.

Les trois amis hochèrent la tête.

– Et si l'on passait au dessert ? proposa Mme Adams. Que diriez-vous d'une glace ?

– Je prends les commandes, dit Arthur en empilant les assiettes. Vanille ? Fraise ? Chocolat ? Pistache ?

– C'est parfait, dit Miranda en toute simplicité.

9

DANS LA PEAU DU RENARD

Une heure plus tard, après une discussion animée dans la chambre de Jenny – qu'Arthur avait vainement essayé d'entendre depuis le couloir –, Peter et Miranda repartirent chez eux. Jenny les raccompagna jusqu'au portail. Elle était contente car elle avait enfin trouvé une idée pour le journal. Une idée qu'ils allaient mettre en pratique tous ensemble et qui leur permettrait de continuer leur enquête. Non pas comme détectives de l'agence « Jamais deux sans trois », mais comme journalistes du *Tom-Tom*. Son père ne pouvait guère y trouver quelque chose à redire. Cependant, par mesure de sécurité, elle se garderait bien de faire dorénavant la moindre allusion au Renard en sa présence.

– Rendez-vous demain matin au bureau, dit-elle. On y sera plus tranquilles.

Le bureau de l'agence « Jamais deux sans trois » se trouvait sous les combles de la maison de Peter. Jenny arriva la première, son cahier sous le bras et une bouteille de jus d'orange à la main. Cinq minutes plus tard, une rafale de coups de sonnette retentit, et Peter courut ouvrir.

Avec un sourire rayonnant, Miranda brandit une carte postale. La photo montrait un beau château de pierre blonde, et elle portait l'inscription « Dijon - Palais des ducs de Bourgogne ».

– *Chère Miranda, chère Jenny*, lut Miranda. *Merci pour la photo. Elle est géniale. Je l'ai montrée à mes copains, et maintenant ils ont tous envie d'aller à Londres. Je me suis bien amusé chez vous. Quand est-ce que vous venez en France ? Répondez-moi vite. Vous pouvez m'écrire en anglais.*

Victor

P.-S. Avez-vous des nouvelles du Renard ?

– Comment ça ? s'écria Peter, vous lui avez parlé du Renard ?

– Et alors ? répliqua Miranda, ce n'est pas un secret d'État.

– Mais il ne fait pas partie de notre agence.

– Tu ne trouves pas que ce serait bien d'avoir un correspondant en France ? On deviendrait une agence de détectives internationale.

– Génial ! dit Jenny, tout feu tout flamme. Petit à petit, on pourrait créer un réseau de détectives qui s'étendrait dans le monde entier, un peu comme Interpol. On pourrait s'envoyer des messages secrets…

– Par e-mail ! s'exclama Peter, je sais comment ça marche. Mon père m'a montré.

– Il nous faudrait un modem pour notre ordinateur, dit Jenny, mais ça coûte cher.

– Pas besoin. Dans un premier temps, je demanderai à mon père si on peut se servir du sien en lui payant les communications. Il suffira de faire attention de ne pas rester trop longtemps en ligne.

– Stop ! coupa Miranda. Dans un premier temps, on va s'occuper de notre jeu pour *Le Tom-Tom*. Je propose qu'on l'appelle « À la recherche de la rançon du Renard ».

Et sans attendre de réponse, elle alluma l'ordinateur qui était posé sur le vieux bureau en métal face au plan de Londres et de sa banlieue, accroché au mur.

– Peter, tu prends une feuille et tu dessines un plan de Highgate avec la gare au milieu et les rues aux alentours. Et toi, Jenny, tu me dictes un résumé de l'histoire pour mettre les lecteurs au courant de tout ce qui s'est passé jusqu'à maintenant.

En disant tout cela, elle pianotait sur le clavier et manipulait la souris qui semblait lui obéir comme par miracle.

Peter et Jenny la regardèrent, ébahis. C'était la première fois qu'ils voyaient Miranda se servir de l'ordinateur sans rechigner et sans se tromper de touches.

– C'est une bonne idée, dit Peter. On mettra le résumé sur la page de gauche et le dessin sur celle de droite. N'oubliez surtout pas de dire que le Renard n'a eu qu'une demi-heure à peine pour se débarrasser de l'argent avant d'être arrêté.

– Stop ! dit de nouveau Miranda. Il y a là quelque chose qui me chiffonne. On demande aux lecteurs de lire l'histoire et de regarder le plan des rues. Puis on leur dit : « Réfléchissez bien et mettez une croix à l'endroit où vous pensez que le Renard pourrait avoir caché son trésor. »

– Exact, dit Jenny.

– Et on leur dit que le gagnant sera celui ou celle qui aura mis sa croix le plus près de l'endroit où le Renard a caché la rançon.

– Tout juste, dit encore Jenny. Et c'est nous trois, en tant que jury, qui déclarerons le vainqueur.

Elle s'interrompit.

– Tu as raison, Miranda. Ça ne peut pas marcher.

Elle venait de comprendre ce qui chiffonnait Miranda. Peter aussi. C'est lui qui mit les choses au point.

– Pour déclarer un vainqueur, il faudrait que le jury sache où se trouve la cachette. Pour l'instant, il n'en sait strictement rien.

Miranda pivota sur son tabouret.

– Alors au boulot !

– Attends !

Les yeux mi-clos, Jenny réfléchissait à voix haute.

– Imaginez que vous avez une valise contenant cinquante mille livres et que vous êtes poursuivis par la police. Est-ce que vous vous mettez à courir pour mettre votre butin à l'ombre ou est-ce que, au contraire, vous marchez le plus tranquillement possible pour ne pas vous faire repérer, tout en cherchant une cachette sûre pour votre trésor ?

– L'un et l'autre, dit Peter. En sortant de la cabine téléphonique à côté de la gare, j'aurais d'abord marché lentement, comme un voyageur qui vient d'arriver, et dès que j'aurais tourné le coin de la première rue, je me serais mis à courir.

– Moi, dit Miranda, c'est le contraire. Je me serais dépêchée de prendre le large, et puis, une fois arrivée sur High Street, j'aurais ralenti et je me serais fondue dans la foule des gens qui font du lèche-vitrine. C'est là que je me serais sentie en sécurité.

– Ce n'est pas facile de se mettre dans la peau du Renard, soupira Jenny. Vous avez probablement raison tous les deux. À un moment donné, il a dû courir et à un autre, il a dû marcher lentement pour passer inaperçu. C'est un tuyau qu'on pourra donner aux lecteurs.

Peter avait les yeux rivés sur le plan de Highgate.

– C'est curieux, murmura-t-il, mais le chemin

le plus direct de la gare à Pollard Lane, c'est celui que j'ai pris hier pour aller chercher mes journaux chez Harry. Il passe à côté de son magasin.

– Sauf qu'à l'époque, objecta Miranda, le magasin n'existait pas encore. Il y avait seulement un terrain vague avec des maisons en construction. C'est les jumelles qui me l'ont dit. Elles s'y sont perdues un jour, et un des ouvriers du chantier les a ramenées à la maison.

Jenny referma son cahier de notes et se leva.

– Je propose qu'on y aille tout de suite.

– Où ça ? demanda Miranda.

– Faire un tour de reconnaissance pour essayer de reconstituer le trajet que le Renard a fait il y a dix ans avec sa mallette bourrée d'argent.

– Point de départ : la cabine téléphonique à côté de la gare, dit Peter, point d'arrivée : Pollard Lane où il a été arrêté une vingtaine de minutes plus tard. Quelque part entre ces deux points se trouve obligatoirement l'endroit où il a caché l'argent de la rançon.

Miranda éteignit l'ordinateur.

– Si on ne veut pas qu'il le retrouve avant nous, on a intérêt à se dépêcher.

Elle sauta du tabouret, ouvrit la trappe du grenier et descendit l'échelle.

– N'oubliez pas de prendre les talkies-walkies, cria-t-elle d'en bas, je sens qu'on va en avoir besoin.

10

UN JOLI NID D'EMBROUILLES

En cheminant vers la gare, Jenny, Peter et Miranda qui poussait son vélo échafaudèrent leur plan. Il était fin prêt lorsqu'ils arrivèrent à la grande horloge au-dessus du portail. Ils synchronisèrent leurs montres. Il était dix heures trente-quatre.

– Désolé, les filles, mais il faut que j'y aille, dit Peter. J'ai promis à Harry d'être au magasin avant onze heures. Bonne chance !

– Tu ferais mieux de dire bonne chasse ! lui cria Miranda.

– C'est trop bête qu'il doive partir juste maintenant, bougonna Jenny en le regardant dévaler l'avenue de la gare.

– Arrête ! Je suis sûre qu'à sa place tu aurais fait pareil. Harry lui a demandé de l'aider à se débarrasser des souris qui grignotent son stock de magazines dans l'arrière-boutique. Il n'allait quand même pas le laisser tomber, d'autant que Harry a promis de lui donner un peu d'argent, et tu sais bien qu'il n'a plus un centime depuis l'achat des talkies-walkies.

Elle posa le pied sur la pédale de son vélo.

– Allez, ma vieille, tu vas voir, on va bien s'en sortir toutes seules.

Jenny la retint par la selle.

– Un instant ! J'aimerais qu'on revoie rapidement notre plan d'action. On ne peut pas se permettre la moindre erreur.

Miranda eut envie de rigoler, mais elle se retint. Visiblement, Jenny avait le trac, alors autant la rassurer.

– Si tu veux. Alors, récapitulons. Moi, je prends mon vélo et je me rends à Pollard Lane, je me poste à l'endroit où le Renard a été arrêté et j'attends onze heures. À onze heures pile, je repars à pied en direction de la gare, en poussant mon vélo. Au même moment tu pars de la gare en sens inverse et en suivant exactement le même itinéraire que moi.

– Exact, dit Jenny, mais contrairement à toi, je cours à toute vitesse comme si j'avais toute la police de Highgate à mes trousses.

– Ça roule, dit Miranda en sautant sur la selle de son vélo. À tout à l'heure, et bonne course !

Dix heures quarante-six. Jenny alla s'asseoir sur un plot en bordure de la place de la gare. Tout s'annonçait merveilleusement bien pour le jeu-concours du *Tom-Tom*. Bien sûr, il leur fallait encore dessiner le plan du quartier, relater l'histoire du Renard et formuler les consignes du jeu, mais le plus gros était fait. Ils s'étaient mis d'accord pour poursuivre l'enquête, et elle sentait bien que ni Peter ni Miranda n'allaient plus la lâcher.

Dix heures cinquante-cinq. Les voyageurs du train de Londres sortaient de la gare. À cette heure de la journée, ils n'étaient pas nombreux. Rien à voir avec la foule des gens qui rentraient du travail en fin d'après-midi. Comme cela devait être le cas ce fameux mercredi, dix ans auparavant. Les yeux rivés sur l'horloge de la gare, Jenny sentit une étrange tension l'envahir.

Onze heures !

Subitement, elle eut l'impression d'être dans la peau du Renard, dans la peau d'un renard traqué par des poursuivants invisibles. Le cœur battant, elle débola à toute vitesse l'avenue de la gare. Deux cents mètres plus loin, comme le voulait l'itinéraire, elle tourna à droite, dans Highgate Avenue. Elle courait à toutes jambes, s'efforçant de maintenir sa respiration à un rythme régulier, avec une seule idée en tête : échapper à ses poursuivants. C'est ainsi qu'en arrivant à l'angle de Southwood Avenue, elle oublia de tourner à gauche et continua à filer tout droit. Tout à coup, la rue décrivait un virage à droite, puis, cent mètres plus loin un deuxième coude, si bien que Jenny déboucha de nouveau sur Southwood Avenue, à une centaine de mètres de l'endroit où elle avait oublié de tourner. En se rendant compte de son erreur elle stoppa net, rouge de confusion. Finalement, c'était elle qui par son inattention risquait de tout faire capoter. Elle lâcha un énorme juron qui fit se retourner un couple de retraités qui faisaient leur promenade matinale. Comment une jeune fille à l'air sage et bien mise pouvait-elle proférer de telles grossièretés ? se demandèrent-ils, interloqués, pendant que la jeune fille en question remontait l'avenue à toute allure, retraversait Highgate Avenue et continuait de courir.

Arriverait-elle à rattraper le temps perdu ? Ses jambes avançaient toutes seules, mais de plus en plus lentement, de plus en plus péniblement. Elle trébucha, se retint à un réverbère et s'arrêta à bout de souffle.

Le Renard avait-il ressenti la même fatigue lors de sa course éperdue ? S'était-il arrêté, lui aussi, pour reprendre son souffle ? Avait-il regardé autour de lui à la recherche d'une cachette pour se débarrasser de la mallette ? La rue était bordée de pavillons désuets et cossus, entourés de jardins bien entretenus où les plate-bandes de fleurs multicolores, le feuillage sombre des rhododendrons et le vert dru du gazon formaient un patchwork savant et agréable à l'œil. Non, cet environnement coquet et ordonné n'offrait guère d'abri pour y dissimuler l'argent de la rançon.

Jenny se remit à courir, en veillant cette fois à respecter scrupuleusement l'itinéraire prévu. Toujours les mêmes maisons pimpantes, les mêmes jolis jardins. Pas de terrain vague, pas de maison abandonnée. En arrivant sur Park Road, elle jeta un coup d'œil à sa montre. Cela faisait douze minutes qu'elle courait, huit, si elle enlevait le temps de son détour. Park Road était assez longue, mais une fois qu'elle l'aurait parcourue, elle ne serait plus très loin de High Street et de Pollard Lane. Où était Miranda ? Logiquement, elle ne devait pas tarder à apparaître à l'autre bout de la rue. À moins qu'elle aussi ne se soit trompée de chemin...

Jenny gémit. Le cuir encore rigide de ses nouvelles chaussures frottait méchamment contre la peau de ses talons. Elle continua en boitillant pour tomber quelques instants plus tard nez à nez sur Miranda qui sortait d'une ruelle sur sa droite. Quelques secondes plus tard, Peter accourut à son tour.

– Vite ! cria-t-il, je l'ai vu. Il est là-bas.

– Qui ?

– L'homme que vous avez vu sur la photo. Suivez-moi !

Peter en tête, ils s'engagèrent dans la ruelle dont l'issue opposée était obstruée par des poubelles qui attendaient le passage des éboueurs. Peter s'accroupit derrière les poubelles et fit signe aux deux filles d'en faire autant.

– Je l'ai vu quand j'étais au magasin, chuchota-t-il.

– Quel magasin ? demanda Jenny qui avait trop mal aux pieds pour réfléchir. Explique-toi, je ne sais même pas où on est.

Peter désigna le mur d'un bâtiment en briques à sa gauche.

– C'est la façade arrière du magasin de Harry, et là, devant vous, c'est Lake Road, la rue qui est parallèle à Park Road.

Ding-dong, la sonnette du magasin de Harry retentit. Des pas résonnèrent sur le trottoir et peu après, un homme affublé d'un grand couvre-chef à carreaux verts et bleus, portant une serviette à la main, passa devant les poubelles pour s'éloigner en sifflotant vers le centre-ville.

– Si j'ai bien compris, dit Jenny en se tournant vers Peter, cette ruelle est un raccourci qui relie Park Road et Lake Road.

– Oui, mais elle est si étroite et si bien cachée qu'on peut passer devant sans s'en apercevoir.

– Il est où, l'homme que tu voulais nous faire voir ? s'impatienta Miranda.

– Là-bas, en face, dans la voiture beige, mais je vais vous raconter. Harry et moi, on avait fini d'installer les pièges à souris dans l'arrière-boutique, et on est revenus dans la boutique. Il y avait des clients qui attendaient.

Harry m'a demandé de patienter. Il voulait me payer. Alors en attendant, je suis sorti dans la rue et c'est là que je l'ai aperçu, dans la voiture beige. Il était assis derrière le volant, il observait tout ce qui se passait dans la rue, et il prenait des notes dans un carnet noir.

– Quel genre de notes ?

– Va savoir. Il faisait peut-être le compte des passants et des voitures pour savoir à quel moment il y avait le moins de monde dans la rue.

– Pour récupérer la rançon ? demanda Miranda. Mais ça voudrait dire qu'il a retrouvé la cachette !

– C'est exactement ce que je me suis dit. Et je me suis demandé à quel endroit précis pouvait se trouver son trésor…

– Et à quel moment il pensait pouvoir le récupérer, poursuivit Miranda.

– Mais att… attendez…, balbutia Jenny sans savoir comment terminer sa phrase, tellement les choses s'embrouillaient dans sa tête.

– Quoi ? insista Peter.

– D'après ce qu'a dit mon père, l'homme de la photo ne peut pas être le Renard, à cause de ses cheveux. Regardez le chauffeur de la voiture beige et dites-moi s'il a une chevelure rousse abondante.

– Pas vraiment, dit Miranda en plissant les yeux, il a les cheveux châtains et son front est encore plus dégarni que celui de mon père.

– Et alors ? s'obstina Peter, il a pu mettre une perruque.

– Une perruque de demi-chauve ? Sacré Peter ! s'esclaffa Miranda. Ça ne doit pas être facile à trouver ; c'est une blague que je mettrais bien dans ma rubrique. Attention ! Il descend de sa voiture.

L'homme fit claquer la portière et traversa la rue d'un pas décidé. Les avait-il repérés ? Recroquevillée derrière sa poubelle, Jenny vit ses chaussures approcher sans un bruit. Tandis que son cœur battait à tout rompre, son esprit de détective enregistra : 1) des semelles en caoutchouc ; 2) une démarche souple et assurée.

À côté d'elle, Peter et Miranda s'étaient également figés. Ils échangèrent des regards paniqués.

Tout à coup, un ding-dong familier frappa leurs tympans. L'homme venait de franchir le seuil du magasin de Harry.

– Ouf ! fit Miranda en s'asseyant par terre, j'ai eu chaud.

Les yeux brillants, Jenny se redressa.

– Vous n'avez rien remarqué ? demanda-t-elle.

Peter et Miranda haussèrent les épaules.

– Vous n'avez pas vu la cicatrice ?

– Quelle cicatrice ? demanda Peter.

– L'homme sur la photo avait des points de suture sur la tempe gauche, expliqua Jenny. Tu te souviens, Miranda ?

– Oui.

– Eh bien, l'homme qui vient d'entrer chez Harry a une cicatrice exactement au même endroit, ce qui prouve que c'est bien lui.

– Le Renard ? demanda Peter.
– Oui, répondit Jenny.
– Arrêtez, s'écria Miranda, je n'y comprends plus rien.

11

ALERTE AUX TERMITES

C'est Miranda qui eut l'idée d'aller à la boutique de Harry en faisant semblant d'étudier les petites annonces collées contre la porte vitrée. À peine partie, elle fut de retour dans la ruelle.

– Il est dans le magasin, dit-elle tout excitée.

– Ça, on est au courant.

– Oui, mais il discute avec Harry. Je l'ai vu agiter une carte sous le nez tout en lui parlant, et Harry faisait une drôle de tête.

– Qu'est-ce qu'ils disaient ?

– Je n'ai rien pu entendre à travers la porte. Mais Peter, tu vas y aller…

– Moi ?

– Oui, avec un des talkies-walkies. Tu le mets discrètement sur « émission », nous, on met l'autre sur « réception » et ainsi on pourra écouter tout ce qu'ils se disent dans le magasin.

Peter était dans ses petits souliers.

– Ce n'est pas possible, bredouilla-t-il, parce que je n'ai toujours pas acheté de piles.

– Bonjour le professionnalisme, dit Jenny.

– J'allais les acheter avec l'argent que Harry m'avait promis…

– Chut ! fit Jenny, le revoilà.

L'homme à la cicatrice venait de quitter le magasin et retraversait la rue, se dirigeant rapidement vers sa voiture. Il démarra sans regarder autour de lui. Son visage était fermé.

Jenny se releva. Ses yeux brillaient.

– Je propose qu'on aille faire un tour chez Harry, dit Jenny. En s'y prenant bien, on devrait arriver à lui tirer les vers du nez. Il faut absolument qu'on sache ce que lui voulait le Renard.

– Ah, te voilà, dit Harry en voyant arriver Peter. Je t'ai préparé ta paie. Merci pour le coup de main, tu as vraiment été très efficace. C'est bien de pouvoir compter sur quelqu'un.

Il poussa un grand soupir et tendit un billet à Peter. Jenny et Miranda le regardèrent du coin de l'œil. Harry paraissait très préoccupé.

Peter le remercia et lui demanda quatre piles pour les talkies-walkies.

Harry fouilla dans l'étagère derrière son comptoir.

– Pendant que j'y pense, dit-il en alignant les piles sur le plateau de verre, est-ce que tu pourrais venir un peu plus tôt demain ? J'ai un petit problème, et je dois dire que ça m'agace copieusement.

– C'est encore les souris ? demanda Peter.

Harry secoua le tête.

– Non, je pense que de ce côté-là au moins, je serai tranquille pour un moment. C'est autre chose…

Voyant les regards des trois amis braqués sur lui, il semblait hésiter.

– Bref, est-ce que tu peux t'arranger pour commencer ta tournée un peu plus tôt ? Je voudrais que tous les livreurs soient partis d'ici de bonne heure.

– Tu veux fermer plus tôt pour profiter du beau temps ? demanda Peter en insérant les piles dans les appareils.

Harry eut un ricanement amer.

– Tu m'as déjà vu fermer avant l'heure ? Je sais ce que je dois à mes clients. Mais là, je serai obligé.

– Pourquoi ?

– Je viens d'avoir la visite d'un type de la mairie.

– De la mairie ?

– Oui, du service de l'hygiène, je crois. Il paraît qu'on a découvert que plusieurs maisons dans le coin étaient attaquées par des termites. Alors, il veut vérifier les murs et les fondations du magasin pendant le week-end.

Miranda dressa l'oreille. Dans le dernier

numéro du magazine de sciences naturelles auquel elle était abonnée, elle avait lu un article sur les termites. On y disait bien que les ravages qu'elles causaient ne se limitaient pas aux pays chauds, mais tout de même...

– Des termites à Highgate ? s'écria-t-elle, vous êtes sûr ?

– C'est ce qu'il m'a dit. Il semblerait que les vieilles bicoques qu'on a démolies pour rénover le quartier en étaient infestées. Le magasin a été bâti sur les fondations d'une de ces maisons, mais je peux vous assurer que je n'ai jamais découvert la moindre trace de termite depuis que je suis ici.

– Et vous êtes ici depuis une dizaine d'années, n'est-ce pas ? s'enquit Jenny.

– Exact. À l'époque, le quartier était en pleine reconstruction. Beaucoup de gens y emménageaient, et je me suis dit que c'était là ma chance. Il n'y avait pas de magasin de journaux, personne qui vendait des bonbons et des articles de dépannage, des piles, des pellicules photo, de la crème à raser, etc. Alors, j'ai réuni toutes mes économies, j'ai emprunté de l'argent et je me suis lancé. Ça n'a pas été facile, mais j'y croyais, et j'ai eu raison.

– Il y a dix ans de cela, répéta Jenny.

– Oui, dit Harry en lui adressant un sourire amusé. À l'époque, tu étais encore dans ta poussette. Mais pourquoi ça t'intéresse autant ?

– Juste comme ça.

– Eh bien, juste comme ça, je peux te dire que j'ai ouvert le magasin le 30 septembre il y a dix ans. J'avais prévu d'ouvrir le 1er septembre, mais les ouvriers avaient pris du retard. Fin août, ils étaient tout juste en train de poser les planchers. J'étais embêté parce que ça me faisait perdre un mois de travail, et j'avais besoin de gagner de l'argent pour rembourser mes prêts. J'ai passé pas mal de nuits blanches à me demander si j'allais tenir le coup.

Plongé dans ses souvenirs, Harry soupira, puis il éclata de rire.

– Ne me regardez pas de cet air apitoyé, les enfants. Je m'en suis bien sorti. Tout ça, c'est de l'histoire ancienne et ce n'est pas très intéressant.

– Qu'est-ce que je te dois pour les piles ? demanda Peter.

– Je t'en fais cadeau, dit Harry. Alors, c'est d'accord pour demain ?

– C'est d'accord, dit Peter, et merci beaucoup.

Les trois amis quittèrent le magasin. Dès qu'ils eurent tourné le coin de la rue, Jenny s'exclama :

– Cette fois, ça y est. Tout se tient.

– Oui, dit Peter, il n'y a plus aucun doute possible.

– Ah bon, fit Miranda, vous pouvez m'expliquer ?

Les deux autres ne se firent pas prier.

– C'est simple, dit Jenny. Le Renard a pris la mallette contenant les cinquante mille livres et il a foncé. Comme moi tout à l'heure. Il a pris la première rue transversale pour échapper aux policiers, et comme il ne connaissait pas le quartier, il se peut très bien qu'il ait tourné en rond…

« Comme moi », pensa-t-elle, mais elle ne le dit pas.

– Exactement, enchaîna Peter, et à force de courir sans savoir où il allait, il s'est arrêté pour reprendre son souffle.

– C'est à ce moment-là, poursuivit Jenny, qu'il a découvert par hasard la petite ruelle et qu'il s'y est réfugié.

– Et qu'a-t-il vu au bout de la ruelle ? continua Peter. Le magasin de Harry qui était encore en construction ! Pas de portes, pas de fenêtres et un plancher qui n'était pas fini d'être posé. L'endroit rêvé pour cacher son butin en attendant de se faire oublier par la police.

– Surtout qu'à cette heure-là, en fin d'après-midi, les ouvriers étaient probablement partis.

– Et quand ils sont revenus le lendemain matin, ils ont fini le plancher sans se douter le moins du monde qu'ils y enfermaient un véritable trésor.

Miranda avait retrouvé son entrain. Ses yeux bleus pétillaient.

– C'est génial, gloussa-t-elle, non seulement le Renard arrive à trouver un lieu sûr pour son butin mais en plus on lui construit un coffre-fort autour.

– Un coffre-fort invisible qu'il est le seul à connaître, dit Jenny. C'est ce qu'on appelle un crime parfait.

– Et dix ans plus tard, conclut Peter, il se fait passer pour un employé des services municipaux, et, profitant de ce que Harry lui confie les clés pendant le week-end, il récupère la rançon, ni vu ni connu.

– Vous ne trouvez pas qu'il est temps d'avertir la police ? dit Miranda.

Peter secoua la tête.

– Personne ne nous croirait. À l'époque, les policiers ont fouillé le quartier sans le moindre résultat. Si on allait les voir maintenant pour leur dire que, d'après nos conclusions, les cinquante mille livres dorment tranquillement sous le magasin de Harry, ils nous prendraient pour des rigolos.

– Il ne faudrait les appeler qu'au moment où le Renard essaiera de récupérer l'argent, dit Jenny, pour qu'ils l'arrêtent en flagrant délit.

– En quoi ? demanda Miranda.

– En flagrant délit, ce qui signifie la main dans le sac.

Miranda ne parut pas convaincue.

– Et comment fait-on pour savoir à quel moment le Renard va passer à l'action ? Tu dois bien avoir une petite idée là-dessus.

– Il suffira d'être sur place et de le surveiller de près.

Jenny se tourna vers Peter.

– Est-ce qu'il y a une deuxième porte d'accès au magasin ?

– Oui, dans l'arrière-boutique, là où sont stockés les journaux. Elle donne sur la ruelle.

– Elle est fermée à clé ?

– Je pense que oui, mais la clé est toujours dans la serrure. Elle y était au moins encore ce matin quand on a chassé les souris.

Jenny rayonnait.

– Parfait, murmura-t-elle, puis elle exposa son plan à ses amis.

12

L'ÉNIGME DE LA CLÉ

En rasant le mur derrière la librairie, Miranda avança à petits pas prudents vers le coin de la ruelle.

– Tu es vraiment sûre que ça va marcher ? fit-elle à voix basse.

Cachée derrière une poubelle, Jenny se redressa légèrement et jeta un coup d'œil rapide sur la rue, guère animée en ce samedi après-midi de la fin du mois d'août.

– Il n'y a aucune raison pour que ça ne marche pas. Qu'est-ce qui te chiffonne ?

– Je ne saurais pas le dire exactement, mais j'ai comme un mauvais pressentiment.

– Il n'y a pas de quoi. Si la clé est vraiment sur la porte de la réserve comme Peter nous l'a dit, on ne court aucun risque.

– Et si elle n'y est pas ? objecta Miranda.

Harry a pu la retirer depuis. Je n'aime pas beaucoup ça : on ne sait rien, on avance complètement à l'aveuglette !

Un homme bedonnant vêtu d'une chemise à grosses fleurs sortit du magasin de Harry, une revue sous un bras et un pack de boissons rafraîchissantes sous l'autre. Miranda tapota nerveusement le sol du pied.

– Qu'est-ce qu'il fait, Peter ? Il devrait être là depuis longtemps.

À peine eut-elle prononcé le dernier mot qu'elle sauta en l'air en poussant un cri ; par-derrière, une main venait de s'abattre sur son épaule.

– Pas de panique, les filles, me voilà, murmura Peter qui était venu par l'autre bout de la ruelle. Allez, on y va !

– Tu les as avec toi ? demanda Jenny en se remettant de son émotion.

Peter tapota sa sacoche de livreur de journaux.

– Ils sont là-dedans.

Jenny glissa sa main dans la sacoche et en retira un talkie-walkie qu'elle accrocha à la ceinture de son pantalon.

– En avant, dit-elle en tirant sur son T-shirt pour cacher l'appareil. Avec ça, le Renard n'a aucune chance d'échapper à notre surveillance.

Au moment d'emboîter le pas à ses amis, Miranda aperçut une mouche qui venait de se faire prendre dans une toile d'araignée à l'encoignure d'une fenêtre au verre dépoli qui donnait sur la ruelle. L'insecte agitait désespérément ses pattes engluées dans les fils visqueux. En dépit de la chaleur étouffante, Miranda frissonna. Est-ce qu'ils n'étaient pas en train de tomber, eux aussi, dans un piège terrible, tendu à leur insu par une force maléfique ? « Dans une heure au plus tard, se jura-t-elle, je piquerai une tête à la piscine, et qui m'aime me suive. »

Suivi par les deux filles, Peter poussa la porte du magasin et déposa triomphalement sa sacoche vide sur le comptoir.

– Mission accomplie, annonça-t-il, j'ai fini ma tournée.

– Très bien, fit Harry en se dépêchant de ranger la sacoche dans un coin.

Il jeta un coup d'œil inquiet sur sa montre, puis un autre, non moins préoccupé, sur Jenny et Miranda qui étaient plongées dans des magazines de bandes dessinées.

– Désolé, les enfants, dit-il en passant une main nerveuse sur son crâne brillant, mais il va falloir que je ferme.

C'est à ce moment-là que Peter intervint :

– Juste un instant, Harry, j'ai eu un problème tout à l'heure avec les Huntington du 53 Baker Street. Ils sont rentrés de vacances hier soir et ils n'ont pas compris pourquoi je n'avais pas de journal pour eux aujourd'hui. J'ai dit qu'ils n'étaient pas sur ma liste.

– C'est normal, leur abonnement ne reprend

que le 1ᵉʳ septembre. C'est eux qui l'ont voulu comme ça.

– Ils prétendent que non et ils sont furieux. Tu ne peux pas regarder sur ton livre ?

– Ah non, ça attendra bien lundi, surtout qu'ils ne m'ont pas encore réglé le mois dernier.

– Tu ne les confondrais pas avec les Hutchinson ? Ils habitent juste en face des Huntington.

Harry se gratta le menton. L'air troublé, il se dirigea vers l'autre extrémité du comptoir où étaient rangés ses livres de comptes. Le temps qu'il mit à trouver, chausser et ajuster ses lunettes, Jenny s'était glissée par la porte entrouverte dans la pièce voisine. La première partie de son plan avait fonctionné à merveille.

Le local où Harry stockait ses marchandises était spacieux mais mal éclairé car la petite fenêtre au verre dépoli ne laissait passer qu'une faible lumière grise. Petit à petit, Jenny réussit à distinguer dans l'obscurité des piles de magazines et des cartons de canettes. Il semblait que Harry ne se servait pas uniquement de la pièce comme réserve, car dans un coin, Jenny aperçut une table de bureau avec une chaise pivotante ainsi qu'une grande armoire métallique.

En se faufilant entre les piles de journaux, elle avança vers la porte du fond qui donnait accès à la ruelle. La clé était fichée dans la serrure. Lentement, Jenny approcha sa main de la clé. Son cœur battait très fort. « Doucement, dit-elle en se parlant à elle-même, tu vas faire tourner la clé dans la serrure pour ouvrir la porte, tu vas la retirer, sortir d'ici et boucler la porte de l'autre côté. Rien de plus simple. Allez, vas-y ma grande ! » La clé refusa de tourner dans la serrure ! Consternée, Jenny essaya de nouveau, pour arriver au même résultat. Que faire ? Elle n'eut guère le temps de se poser la question, car de la ruelle lui parvint soudain un bruit de pas et, derrière la vitre, elle vit passer la silhouette d'un homme en blouson. Parfaitement immobile, Jenny fixait la silhouette. L'homme approcha son visage de la vitre. Malgré le verre dépoli, elle le reconnut : c'était l'homme au blouson délavé ! Sans le lâcher des yeux, elle recula à tout petits pas et s'abrita entre deux piles de cartons. Soudain la poignée de la porte se mit à tourner. Heureusement qu'elle est fermée à clé, pensa Jenny. Quelques secondes plus tard, elle comprit avec effroi pourquoi la clé lui avait résisté tout à l'heure, car sous ses yeux incrédules, la porte tournait maintenant silencieusement sur ses gonds. Quelqu'un avait dû la débloquer avant elle.

Miranda se pencha vers l'oreille de Peter.
– Elle devrait être sortie, maintenant, chuchota-t-elle. Viens, elle doit nous attendre.
Harry referma son livre :

– Je n'ai pas trouvé d'erreur, mais je vais les appeler lundi matin pour régler le problème avec eux.

Il suivit Peter et Miranda vers la sortie et retourna la pancarte accrochée à la porte sur laquelle était écrit « Fermé » en grosses lettres rouges.

– Bon week-end ! dit Peter en passant avec Miranda à côté de lui.

– Vous n'étiez pas trois tout à l'heure ? s'étonna Harry. Où est votre copine ?

– Jenny ? Elle est partie tout à l'heure pendant que vous parliez avec Peter, dit Miranda en tirant son ami par le bras. Au revoir et merci beaucoup pour les sucettes !

Ils traversèrent la rue, puis se retournèrent. De l'autre côté, la ruelle était déserte. Peter décrocha son talkie-walkie de sa ceinture.

– Avec nous deux postés ici et Jenny à l'autre bout de la ruelle, nous couvrons parfaitement le terrain. Tu la vois, toi ?

– Non.

– Moi non plus. Elle a dû se cacher derrière un des arbres tout à fait au bout. Elle a raison. Toute seule dans la ruelle, elle risquerait d'attirer l'attention.

Il brandit son appareil et pressa le bouton « émission ».

– Grâce à cette merveille, on va rentrer en contact avec elle. J 203-1 à J 203-2. Confirmez votre position. Je répète : confirmez votre position.

Mais Jenny ne se trouvait pas en position de répondre. Quand la porte s'était ouverte pour laisser entrer l'homme au blouson, elle avait eu la présence d'esprit d'appuyer sur la touche « arrêt » de son talkie-walkie. Recroquevillée entre deux piles de journaux, elle essayait de comprendre. Pourquoi la porte de la réserve n'était-elle pas fermée à clé comme Peter le leur avait dit ? Pour quelle raison le Renard qui se faisait passer pour un employé de la commune avait-il préféré entrer par derrière ? Comment Harry allait-il réagir à cette intrusion ?

C'est la voix puissante de Harry qui lui fournit la réponse à cette dernière question.

– C'est bon, disait-il, la voie est libre. Je viens de fermer le magasin.

En traversant la réserve, l'homme passa à quelques centimètres de la cachette de Jenny ; un pan de son blouson frôla sa joue. Harry vint à sa rencontre. Il avait l'air grave.

– Par où est-ce qu'on attaque ?

– Pourquoi pas par là ? répondit l'autre en indiquant un coin de la pièce où s'entassaient des cartons vides. Ça fait dix ans que j'attends ce moment. Allons-y ! On n'a pas de temps à perdre.

Jenny sentit les paroles des deux hommes bourdonner dans sa tête. Non ! eut-elle envie de crier, ce n'est pas possible !

Plus aucun doute ne semblait permis : Harry et le Renard étaient complices.

Peter éteignit son talkie-walkie.

– J'abandonne, dit-il. Ou Jenny a des ennuis avec son poste, ou elle se trouve dans une situation qui l'empêche de s'en servir. Il vaut mieux que j'aille voir ce qui se passe.

Il s'engagea sur la chaussée, Miranda s'apprêta à le suivre.

– Non, lui dit-il, reste ici pour observer l'entrée du magasin. Le Renard ne devrait pas tarder à venir. N'oublie pas de noter l'heure à laquelle il arrive, et continue d'essayer d'appeler Jenny.

Il lui mit le talkie-walkie entre les mains et partit en courant. Miranda regarda l'appareil avec hostilité.

– Qu'est-ce qu'on ne ferait pas pour sa meilleure copine ! soupira-t-elle finalement en appuyant sur « émission ».

Les pensées de Jenny se bousculaient. Que fallait-il faire ? Attendre que les deux hommes commencent à retirer les planches ou essayer de s'enfuir sur-le-champ ? Avant qu'elle n'ait le temps de prendre une décision, un cri étouffé lui parvint du dehors, suivi de ce qui semblait être des bruits de bagarre. Soudain, la porte donnant sur la ruelle fut ouverte brutalement. Un autre homme se précipita dans la réserve, refermant la porte derrière lui d'un coup de pied violent. L'homme n'était pas seul : en le tenant d'une main de fer, il poussait Peter devant lui.

Une voix tonna :

– Police ! Lâchez l'enfant, Foxtrott, et rendez-vous !

La voix venait de l'autre bout de la réserve et appartenait à l'homme au blouson.

L'autre eut un ricanement sinistre.

– Tout doux, Jenkins, et surtout pas de faux mouvements, sinon c'est le gosse qui va trinquer.

Jenkins ? Complètement abasourdie, Jenny tourna le regard vers l'homme au blouson. Cet homme qu'ils avaient pris pour le maître chanteur s'appelait donc Jenkins ? Du fond de sa mémoire surgit le souvenir du petit article de la page 15 : Jenkins, c'était le nom du policier qui avait réussi à arrêter le Renard !

Ils s'étaient trompés de suspect ! Pendant qu'ils suivaient Jenkins, ce dernier suivait lui-même le Renard…

Jenny fixa le Renard. Il avait sorti un revolver de sa veste et tenait Peter plaqué contre lui comme un bouclier. La casquette écossaise ! Mais oui ! C'était lui qui avait enguirlandé Miranda quand elle l'avait bousculé dans la rue, lui qu'ils avaient vu passer devant le magasin d'articles électroniques et lui encore qui était sorti hier du magasin de Harry portant une serviette sous le bras. Du revers de la main qui tenait l'arme, il repoussa sa casquette en arrière, libérant une tignasse abondante et flamboyante : c'était bien lui Ronald Foxtrott alias le Renard.

– Foxtrott, dit Jenkins en avançant lentement vers le maître chanteur, vous n'avez aucune chance. Je vous ai déjà coffré une fois…

– Un pas de plus et vous aurez le même sur la conscience, glapit le Renard. Allez, demi-tour ! Vous aussi, le boutiquier. Tout le monde au magasin !

– Soyez raisonnable, Foxtrott, et relâchez le garçon.

– Pas avant d'avoir réglé mes petites affaires. Et toi, le moutard, avance et n'essaie pas de me résister.

Abritée par les cartons, Jenny vit Peter passer à côté d'elle, si près qu'elle aurait pu le toucher, mais elle s'en garda bien, se tassant au contraire le plus possible dans l'ombre des cartons. Sa main frôla un petit objet posé à même le sol : un piège à souris prêt à fonctionner. Elle la retira vivement.

Dans le magasin, le Renard aboyait des ordres :

– Videz vos poches. Vous aussi Jenkins, et dépêchez-vous. Je sais très bien que vous avez un émetteur radio sur vous… Mettez-moi tout ça sur le comptoir… Et maintenant, couchez-vous par terre, à plat ventre, et plus vite que ça. Non, pas toi, le mouflet. Toi, tu vas me ficeler ces deux-là comme il faut. Et pas d'entourloupe, compris ? Allez, attrape !

Par un interstice entre deux piles de journaux, Jenny vit le Renard lancer à Peter une corde à sauter en fil de nylon bleu fluo qu'il avait décrochée du présentoir à côté du comptoir. Peter était blême de rage.

C'était le comble ! Harry allait se faire ligoter par son livreur de journaux et ami de longue date au moyen d'un jouet qui faisait la joie des petites filles de l'école primaire…

Jenny l'observait pendant qu'il attachait les pieds de Harry, puis ses mains. Le Renard lui jeta une deuxième corde à sauter. Le visage figé en masque de pierre, Peter se mit à ligoter le policier.

– Tu sais que tu es doué, mon garçon, ricana le Renard en le voyant faire. Tu as de l'avenir, et pas forcément dans la police.

– Taisez-vous, Foxtrott, coupa Jenkins, n'aggravez pas votre cas.

– Je m'en fiche, beugla le Renard. Quand j'aurai récupéré mon magot, je m'envolerai d'ici, et je vous garantis que toutes les polices du monde réunies ne sauront pas mettre la main sur moi. Et toi, le môme, va t'asseoir le dos contre le comptoir et ne bouge plus.

Jenny réfléchit. Il fallait agir vite. Dans quelques instants, le Renard allait revenir dans la réserve pour enlever les lattes de parquet sous lesquelles reposait son butin. Alors il la découvrirait à coup sûr. Il fallait qu'elle se sauve tout de suite pour retrouver Miranda et avertir la police. Prudemment, elle avança vers la porte qui donnait sur la ruelle. Soudain, un geste du Renard lui revint en mémoire et son estomac se crispa. Tout à l'heure, en faisant son apparition brutale, il avait fermé la porte à clé. Qu'avait-il fait de la clé ? L'avait-il laissée sur la serrure ou l'avait-il retirée ? Elle leva les yeux sur la porte et son sang se glaça. La serrure était vide.

– Jenny, réponds ! Réponds, s'il te plaît !
Miranda appuya désespérément sur le bouton « réception » du talkie-walkie, mais le poste restait silencieux.
Combien de temps s'était-il passé depuis que Jenny s'était glissée dans la réserve ? Où pouvait-elle bien être maintenant ? Pourquoi Peter ne revenait-il pas ? Leur était-il arrivé un problème ? Comment les retrouver ? Au fur et à mesure qu'elle se posait ces questions, son inquiétude croissait. Et si elle allait prévenir la police ? Mais pour dire quoi ? « Mes amis sont à la poursuite d'un escroc qui est à la poursuite de son butin, c'est du moins ce que nous croyons. » Non, ce n'était pas une bonne idée.
Miranda regarda l'appareil qu'elle tenait dans sa main. Pourquoi restait-il silencieux ? Elle avait pourtant respecté toutes les consignes. Les doigts tremblants, elle rappuya sur le bouton « émission » et lança son message de détresse :
– Je t'en supplie, réponds, Jenny, et dis-moi où tu es. Je me fais du souci.

13

LE PIÈGE SE REFERME

Jenny se sentait piégée. La porte donnant sur la ruelle étant bouclée, il ne lui restait qu'une seule issue pour aller chercher de l'aide : la porte du magasin. Depuis quelques instants, des bruits de lattes qu'on arrachait lui parvenaient du magasin. Le Renard avait donc décidé d'entreprendre ses fouilles en commençant par là. Il suffisait qu'elle se glisse jusqu'à la porte du magasin pendant qu'il avait le dos tourné…

Sur la pointe des pieds, elle retraversa la réserve, s'appuya au chambranle de la porte de communication et jeta un coup d'œil prudent de l'autre côté. Son regard croisa celui de Peter, ahuri. Il était assis par terre, le dos contre le comptoir comme le Renard le lui avait ordonné. Jenny posa un doigt sur sa bouche. Il ne fallait surtout pas que Peter se manifeste. Elle vit qu'il n'avait plus son talkie-walkie accroché à la ceinture. Étant donné qu'il ne figurait pas parmi les objets que les otages du Renard avaient dû sortir de leurs poches, Peter ne l'avait donc pas emporté avec lui. Il avait dû le laisser à Miranda qui les attendait probablement quelque part, tout près. Comment lui faire passer un message ? Elle ne pouvait pas lui parler, le Renard l'entendrait à coup sûr. Mais Peter pouvait parler, il pouvait même crier quelque chose et faire réagir le Renard. Si Jenny appuyait sur le bouton « émission » pendant que les deux se disputaient, Miranda comprendrait peut-être ce qui s'était produit chez Harry et irait chercher la police. Jenny détacha son appareil et le souleva pour que Peter le voie.

« Parle très fort », fit-elle en bougeant uniquement les lèvres. Comme il ne paraissait pas comprendre, elle répéta sa demande silencieuse. Cette fois-ci, il sourit et lui fit un clin d'œil.

– Vous n'avez aucune chance de vous en sortir, Foxtrott, lança-t-il au malfrat. La police vous rattrapera immédiatement. Tout Highgate est bouclé. Vous êtes attendu, vous savez.

Le Renard lâcha la latte qu'il venait d'arracher et se retourna vers Peter.

– Elle est bien bonne, s'esclaffa-t-il. Tu crois peut-être qu'ils ne m'attendaient pas il y a

LE PIÈGE SE REFERME

dix ans, quand j'ai récupéré la rançon ? Je parie que le quartier de la gare était bourré de flics, mais, vois-tu, j'étais beaucoup trop rusé pour eux. Et je n'ai pas changé, mon gars.

– La police si, rétorqua Peter. Pendant votre absence… forcée, elle vous a concocté un piège dans lequel vous venez de foncer sans même vous en apercevoir. Si ce n'est pas un manque de flair…

– La ferme, espèce de morveux, éructa le Renard, hors de lui.

Jenny approcha son doigt de la touche « marche/arrêt ».

– Sans indiscrétion, continua Peter haut et fort, combien de lattes avez-vous encore l'intention de faire sauter dans ce magasin ?

– Autant qu'il faudra pour retrouver l'argent, rugit le Renard. Je sais qu'il est là. J'ai reconnu l'endroit.

Jenny appuya sur la touche de mise en service de l'appareil. D'une pression du pouce, elle allait rapidement enfoncer le bouton « émission », mais c'était déjà trop tard. Haute et claire, la voix inquiète de Miranda résonna dans la pièce :

– Jenny, m'entends-tu ? Réponds-moi, s'il te plaît ! Je ne sais plus quoi faire.

Au son de la voix qui sortait du talkie-walkie, le Renard s'était raidi. En apercevant Jenny qui était restée pétrifiée à l'entrée de la réserve, son visage s'empourpra et ses yeux lancèrent des éclairs.

– Par ici, ma belle, fit-il avec une fureur à peine contenue, et grouille-toi !

Prise d'un mouvement de panique, Jenny fit demi-tour et replongea dans l'obscurité de la réserve. Le Renard la suivit, le pistolet à la main.

– Donne-moi ton joujou, ma mignonne, et il ne t'arrivera pas de mal.

Jenny continua de reculer tandis que le Renard avançait vers elle, prêt à fondre sur sa proie.

– Donne-le-moi, tu m'entends ?

Sa voix était rauque, son souffle rapide. Jenny serra l'appareil encore plus fermement et leva lentement le bras. Un rictus hideux déforma les traits du Renard.

– Allez, donne…

– Le voilà ! hurla Jenny en lançant l'appareil de toutes ses forces dans sa direction.

Le Renard se baissa juste à temps et le talkie-walkie alla s'écraser contre le mur. Jenny bondit vers le coin de la réserve que Harry avait aménagé en bureau. Elle plongea sous la table de travail, ressortit de l'autre côté et se faufila dans l'étroit interstice qu'il y avait entre l'énorme armoire en métal et le mur de la réserve. Le Renard contourna le bureau et avança la main derrière l'armoire pour l'extirper de son abri. Jenny recula jusqu'au fond et retint son souffle. Elle était piégée, d'un instant à l'autre, elle allait se trouver prise dans les griffes du Renard. Son pied heurta quelque chose. Elle eut une intuition et se baissa. Elle avait deviné juste, l'objet en question était un des pièges à souris que Peter et Harry avaient installés dans la réserve. Les doigts tremblants, elle le ramassa.

Le Renard s'acharnait sur l'armoire, mais sans résultat, elle était trop lourde pour qu'il puisse l'écarter davantage du mur. Comme des pattes d'araignée, ses doigts rampèrent alors vers elle. Sans hésiter plus longtemps, Jenny avança sa main gauche dans laquelle elle tenait le piège à souris…

Crac ! Le piège se referma sur les doigts du Renard qui poussa un cri de douleur et lâcha son arme. Il eut un mouvement de recul et s'affaissa en jurant dans une pile de cartons vides qui s'écroula sur lui. Jenny ne laissa pas passer cette chance. Elle se précipita hors de son trou, sortit de la réserve en courant, referma la porte de communication et la verrouilla.

– Vite, Jenny, occupe-toi de Harry ! lui lança Peter qui était en train d'enlever ses liens à l'officier de police.

– Plus vite ! s'énerva Jenkins, il ne faut pas qu'il nous échappe.

– Il ne peut pas, répliqua Jenny, la porte qui donne sur la ruelle est fermée à clé.

« Certes, lui dit une voix intérieure, mais c'est le Renard qui en a la clé et il ne se privera pas d'en faire un prompt usage. »

Libéré de sa corde, le policier sauta sur ses pieds et déverrouilla la porte de la réserve.

– Foxtrott ! tonna-t-il, rendez-vous ! Vous êtes cerné.

« Trop tard, pensa Jenny tremblant de rage en voyant l'autre porte se balancer sur ses gonds pendant qu'elle entendait quelqu'un courir dans l'impasse. »

Soudain, elle entendit résonner d'autres pas dans la ruelle, bien plus nombreux, ainsi que des coups de sifflet, des éclats de voix, des bruits sourds de bagarre. D'un même élan, Jenny et Peter s'élancèrent dans la direction d'où provenait ce brouhaha.

À une vingtaine de mètres de là, le Renard gisait sur le pavé, poignets menottés dans le dos et entouré d'une douzaine de policiers. Avant que les deux détectives en herbe ne puissent se demander d'où avaient surgi si rapidement les policiers, leur troisième associée courut vers eux, rayonnante et brandissant l'autre talkie-walkie.

– Jenny ! Peter ! Vous voyez, j'y suis arrivée, jubila Miranda, cet engin est vraiment génial.

Réunis dans le magasin de Harry qui offrait une tournée de glaces, les trois amis s'amusaient à rassembler les morceaux du puzzle de la fin mouvementée de cette aventure.

– Je ne savais plus que faire, dit Miranda. Tu ne répondais pas, Jenny, et j'étais très inquiète. Alors, je t'ai envoyé un dernier message…

– Qui n'est pas passé inaperçu, dit Peter. Si

tu avais vu la tête du Renard quand il a aperçu Jenny avec son talkie-walkie…

– Je ne l'ai pas vu mais j'ai tout entendu, dit Miranda en se tournant vers son amie, à partir du moment où il s'est mis à te poursuivre dans la réserve parce que tu as dû laisser ton doigt enfoncé sur le bouton « émission ».

Elle roula les yeux et fit une grimace sinistre en imitant la grosse voix du Renard :

– « Donne-moi ton joujou, ma mignonne. »

Ça m'a fait froid dans le dos et je me suis dit qu'il était grand temps de prévenir la police.

– Attends, dit Jenny en fronçant les sourcils, il y a quelque chose qui m'échappe. Comment se fait-il qu'il y ait eu une douzaine de policiers sur les lieux à peine quelques minutes plus tard ?

– En voilà une bonne question, rigola Miranda en raclant le fond de son pot de glace. Quand j'ai tourné le coin de la ruelle, je me suis trouvée nez à nez avec eux. Je leur ai raconté tout ce que je savais et eux, ils m'ont dit, qu'ils étaient là sur l'ordre de leur chef pour intercepter le Renard dès qu'il sortirait de chez Harry. Et c'est ce qu'ils ont fait.

Elle regarda ses deux copains, puis elle murmura :

– Vous ne pouvez pas savoir comme je suis contente de vous revoir.

En entendant ce bel aveu d'amitié, Harry,

qui s'affairait derrière son comptoir, eut chaud au cœur.

Tout à coup, l'expression de Miranda changea du tout au tout. Ses yeux s'écarquillèrent et elle blêmit.

– Qu'est-ce qu'il fait là ? fit-elle d'une voix chancelante.

– Qui ? demandèrent Peter et Jenny en chœur.

– Le Renard. Il vient tout droit par ici.

Les deux autres se retournèrent pour apercevoir le commissaire Jenkins vêtu de son vieux blouson délavé pousser la porte du magasin. Jenny passa son bras autour du cou de Miranda qui se tenait raide comme un piquet.

– Non, ce n'est pas le Renard mais le policier qui l'a arrêté il y a dix ans. On s'est trompées toutes les deux en pensant que l'homme sur la photo était le bandit, or c'était le commissaire qui l'avait traqué.

– Inspecteur, rectifia Jenkins, c'est seulement à la suite de l'affaire Foxtrott que j'ai été promu commissaire. J'étais convaincu que le Renard, comme vous l'appelez, allait revenir chercher l'argent de la rançon dès sa sortie de prison, et je ne me suis pas trompé. Ça a pris du temps parce qu'il a longuement erré dans le coin avant de reconnaître l'endroit où il l'avait caché.

Miranda reprenait des couleurs.

– Et le Renard alors, demanda-t-elle, c'est qui ?

– Tu te souviens du type que tu as failli renverser dans la rue ? Il portait une casquette écossaise trop grande…

– Je me souviens. On l'a d'ailleurs revu.

– Oui, il est passé devant la boutique quand on a acheté les talkies-walkies.

– Et quand il est sorti de chez Harry où il s'est fait passer pour le chasseur de termites municipal, ajouta Peter.

Jenny s'adressa au commissaire :

– Vous aviez mis Harry au courant pour pouvoir attendre Foxtrott dans le magasin et le surprendre en flagrant délit ?

– Oui, et ensuite j'avais posté mes hommes tout près d'ici pour s'occuper de lui.

Le commissaire reprit son talkie-walkie sur le comptoir et le glissa dans son blouson.

– Ils attendaient mon signal pour intervenir, et sans vous, ils auraient pu attendre longtemps. Je vous remercie, les enfants, vous nous avez été d'un grand secours.

Peter, Jenny et Miranda rayonnaient de plaisir.

– Je tiens pourtant à vous donner un bon conseil que je vous demanderai de suivre à la lettre : ne vous mêlez plus jamais d'affaires aussi dangereuses. C'est le travail de la police. Ai-je été suffisamment clair ? conclut le policier.

Les trois amis hochèrent la tête. Ils évitèrent de se regarder pour ne pas perdre leur sérieux. Des mises en garde comme celle du commissaire, ils en avaient entendu

123

plusieurs lors de leurs enquêtes précédentes.

– Vous n'avez plus besoin de nous ? demanda Peter.

– Oh que si ! s'exclama Jenkins. Il faut qu'on retrouve l'argent, maintenant.

– C'est fait, monsieur le commissaire, regardez !

Un jeune policier souleva une mallette poussiéreuse qu'il venait de sortir de sous le plancher.

Malgré la poussière, on voyait que la mallette était en parfait état, à l'exception d'un petit trou dans un angle du couvercle.

– Enfin ! se réjouit le commissaire en l'époussetant avant de la poser sur le comptoir.

Il fit sauter les deux serrures.

– Vous êtes prêts, les enfants ? demanda-t-il aux trois amis qui avaient rejoint Harry de l'autre côté du comptoir.

Entouré de ses hommes, le commissaire souleva lentement le couvercle de la mallette.

À la vue de son contenu, des cris de surprise fusèrent dans une assistance stupéfaite. Dans leur nid douillet fait d'innombrables billets de banque réduits en confettis, une dizaine de souriceaux dressaient leurs truffes minuscules. Vu ce qui restait des coupures, ce n'était certainement pas la première portée qui grandissait dans cette nurserie unique en son genre.

Le commissaire referma le couvercle.

– Pauvre Foxtrott, dit-il, il a eu de la chance qu'on l'arrête avant qu'il ne voie ce qui est advenu de son butin.

– « Le Renard et les souris », s'écria Miranda, ça fait un excellent titre pour notre jeu-concours.

– Sauf qu'il n'y a plus de jeu-concours possible, soupira Peter, l'affaire Foxtrott fera sûrement la une du *Courrier* de lundi et tout le monde sera au courant.

– On trouvera autre chose pour *Le Tom-Tom*, dit Jenny, en entraînant Peter et Miranda vers la porte. Pour le moment, il s'agit de rédiger un compte rendu minutieux de l'affaire. Il faut qu'il soit prêt ce soir. On le glissera dans la boîte à lettres de la rédaction du journal, avec une lettre d'accompagnement où on donne nos noms et numéros de téléphone pour que les journalistes puissent nous joindre en cas de besoin... Qu'est-ce que vous avez à me regarder comme ça ? Vous n'êtes pas d'accord ?

Peter et Miranda se lancèrent un clin d'œil complice.

– On ne la changera pas, dit Peter en souriant.

– Non, répondit Miranda, mais c'est ce qui fait son charme.

Le jeudi suivant, le facteur apporta une grande enveloppe adressée à Victor Julliard. Il l'ouvrit et en sortit un journal, *Le Courrier de Highgate* daté du lundi de la même semaine. Une lettre y était attachée. Victor reconnut l'écriture :

Cher Victor,
Le Renard est sous les verrous et on peut enfin retourner à la piscine. On a eu droit à une récompense pour avoir aidé la police. Devine ce qu'on va s'acheter avec l'argent ! DEUX AUTRES TALKIES-WALKIES. Comme ça on en aura un chacun. Je te prêterai le mien quand tu viendras.
Gros bisous et bien des choses de la part de Jenny et de Peter.
Miranda
P.-S. Demande à Clémentine de te traduire l'article qui fait la une. C'est tout sur l'affaire Foxtrott (on y parle aussi de nous !!!).

Victor reposa la lettre. C'était décidé. Ses prochaines vacances, il les passerait à Highgate avec ses amis détectives.

TABLE

Conception graphique
et direction artistique.
Création de la couverture :
Studio de création de
Repères Communication
Réalisation :
Atelier graphique Actes Sud

Reproduit et achevé d'imprimer
en octobre 1998
Imprimerie Floch
Mayenne
sur papier des

2004

Dépôt légal
1re édition : novembre 1998
N° impr. : 44688
(Imprimé en France)